L'Arracheur de rêves

Pierre-Luc Lafrance

L'Arracheur de rêves

Collection Le Treize noir

La Veuve noire, éditrice inc.
www.veuvenoire.ca

La Veuve noire, éditrice remercie le Conseil des Arts du Canada et la SODEC pour l'aide accordée à son programme de publication. La Veuve noire, éditrice bénéficie également du Programme de crédit d'impôt pour l'édition de livres – Gestion SODEC – du gouvernement du Québec.

Conseil des Arts
du Canada

Canada Council
for the Arts

SODEC
Québec ::

Dépôt légal: 2008
Bibliothèque nationale du Canada
Bibliothèque nationale du Québec

Catalogage avant publication de Bibliothèque et Archives nationales du Québec et Bibliothèque et Archives Canada

Lafrance, Pierre-Luc

LArracheur de rêves (Collection Le Treize noir)

ISBN 978-2-923291-15-4

I. titre. II. Collection

PS8623.A37A77 2008   C843'.6   C2008-941258-3
PS9623.A37A77 2008

Illustration de la couverture : François Thisdale
Conception de la maquette : Robert Dolbec

À Marie-Pierre,
qui m'a accompagné dans mes moments de doutes.

À Marie-Pierre,
qui a su m'encourager dans tous mes projets.

À Marie-Pierre,
et à notre enfant qui viendra au monde dans
quelques mois.

1 : L'Arracheur de rêves

Marc-Antoine marchait dans la rue d'Aiguillon ; il était parti du Carré d'Youville. Vêtu d'un short et d'un t-shirt qui mettaient en relief son teint hâlé, il portait aussi des lunettes de soleil qui avaient glissé sur le bout de son nez pour laisser paraître ses yeux verts. Il avançait à pas lents en regardant tour à tour les demeures et le bout de papier sur lequel il avait inscrit l'adresse de l'appartement ainsi que le nom du propriétaire. Il s'arrêta en face d'un petit immeuble coincé entre deux bâtiments centenaires. Sa façade décrépite et ses fenêtres fissurées montraient la négligence du propriétaire. Quatre portes exiguës étaient collées les unes sur les autres. Les quatre logements avaient leur entrée indépendante et leur propre numéro d'immeuble. Marc-Antoine vérifia de nouveau l'adresse qu'il avait notée dans le journal. Pendant un moment, il pensa à rebrousser chemin. Avait-il vraiment un choix ? Les appartements disponibles en plein cœur de Québec, au début du mois d'août, n'étaient pas si nombreux. Surtout à ce prix-là.

En plus, la cohabitation avec sa mère se passait de moins en moins bien depuis son retour, trois semaines plus tôt. En fait, ce qu'il n'osait lui dire, c'était qu'il ressentait un profond malaise dans cette maison depuis la mort de son père. Il devait absolument se trouver une nouvelle demeure.

Il haussa les épaules et cogna trois coups secs qui donnèrent un son sourd.

L'instant d'après, il entendit les pas de quelqu'un qui descendait l'escalier. La porte s'ouvrit sur un vieillard usé par le temps, enveloppé dans une grosse couverte à carreaux rouges, verts et bleus. Presque chauve, il avait les joues creuses et sèches, un nez d'ivrogne et des oreilles aux lobes tombants. Toutefois, son regard était étonnamment lucide : ses yeux bleus pétillaient d'intelligence.

— Ne vous en faites pas pour la couverture, dit le vieil homme de sa voix rauque entre deux quintes de toux. À mon âge, vous aussi vous allez être continuellement gelé, même les jours de canicule. J'imagine que vous êtes monsieur Garon ?

Marc-Antoine sourit de se faire appeler monsieur à vingt-six ans, alors que l'autre devait avoir presque trois fois son âge.

— Caron, répondit-il. Marc-Antoine Caron.

Il tendit une main que l'autre serra mollement.

— Enchanté, moi c'est Gustave Lambert. Je suis le propriétaire de l'immeuble. C'est moi qui vais vous le faire visiter.

Le vieil homme regarda autour de lui avant de continuer :

— Mais entrez, voyons. Ne vous fiez pas à l'extérieur, vous serez très bien ici.

Sceptique, Marc-Antoine monta les marches à la suite de son hôte. La peinture le long de l'escalier commençait à s'écailler. La couleur – blanc coquille d'œuf ou beige qui avait viré au gris – en était difficilement reconnaissable à cause de la saleté et du mauvais éclairage diffusé par une unique lampe en haut des marches.

Enfin, il franchit le seuil du logement proprement dit. Il en eut le souffle coupé. Ce n'était pas du tout le taudis anticipé. Le plafond faisait au moins dix pieds de haut et les dimensions se révélaient beaucoup plus grandes que ce que suggérait l'extérieur. En fait, l'étroitesse des lieux était compensée par la profondeur. Bien sûr, les murs demandaient une nouvelle couche de peinture et la décoration ressemblait à celle d'une résidence de personnes âgées. Par contre, les lieux présentaient un réel potentiel.

— C'est un quatre et demi sur deux étages, dit le vieil homme. Mais vous allez voir, les dimensions sont celles d'un cinq et demi. Dans le bloc, il y a deux quatre et demi en bas et deux trois et demi en haut. La femme qui habite au-dessus est une vieille fille sédentaire, tranquille comme tout. Venez, je vais vous faire visiter.

Gustave conduisit Marc-Antoine. Il lui montra d'abord le petit salon tout de suite à droite de la porte d'entrée : la pièce semblait à l'étroit avec un espace à peine plus grand qu'un cadre de porte pour y accéder. Pour l'instant, il était meublé d'une table basse sur laquelle reposait un antique poste de télévision et d'un divan couleur rouille qui datait d'une autre époque.

— Les meubles de l'ancienne locataire, madame Labaie, sont encore là, commenta Gustave. Vous pourrez garder ceux qui vous plaisent.

Marc-Antoine hocha la tête tout en se disant qu'il changerait ces vieux meubles à la première occasion.

En continuant tout droit, dans le couloir, on atteignait la cuisine. Le vieil homme s'arrêta à mi-chemin pour ouvrir une porte à la gauche du couloir, juste en face de l'escalier pour aller au premier plancher du logement. D'après ce que Marc-Antoine pouvait en juger, il s'agissait d'une porte de garde-robe. En s'approchant plus près, il remarqua qu'il s'agissait d'une salle d'eau, si petite qu'il était impossible d'en fermer la porte lorsque quelqu'un s'asseyait sur la toilette. Un minuscule lavabo occupait le reste de l'espace.

— Ne vous inquiétez pas, dit Gustave, en sentant le malaise du jeune homme, la salle de bains est à l'étage inférieur. C'est également là que se trouve la chambre des maîtres.

Le vieil homme conduisit son hôte jusqu'à la cuisine. Plutôt petite, elle comportait toutefois de nombreux espaces de rangement. À côté, dans l'espace salle à manger, Marc-Antoine vit une table de bois antique assez grande pour accueillir huit personnes. Il passa sa main sur l'érable lisse, sans trouver d'imperfections. Il s'y connaissait un peu en meubles anciens, une passion de ses parents, et il estima que la table devait avoir au moins 50 ans. Du bel ouvrage.

— Regardez ici, dit Gustave, qui se tenait devant la porte arrière, qui communiquait avec la salle à manger.

Marc-Antoine cessa de contempler la table et fit quelques pas pour rejoindre le vieil homme, qui entrouvrit la porte. Marc-Antoine fut surpris de voir le balcon. En fait, il s'agissait plutôt d'un réseau de balcons qui communiquaient entre eux. Une quarantaine de personnes pouvait s'y trouver en même temps. Cela formait un carré et touchait aux logements de quatre immeubles. Plus surprenant encore, au centre de ce complexe se trouvait une petite cour : un îlot de verdure en plein cœur de la ville. Bornée par les quatre immeubles, cette enclave n'était accessible que par les escaliers qui descendaient des balcons. En bas, des arbres procuraient une ombre bienvenue pendant les jours de canicule, et il y avait des bancs et des chaises longues sur le gazon dans la zone dégagée.

— La cour est accessible aux seize logements des quatre blocs, mais il y a assez de place pour tous. Les chaises sont disponibles pour tout le monde. Si vous voulez organiser un *party*, vous devez en avertir les autres locataires.

Gustave referma la porte et traversa la cuisine pour conduire Marc-Antoine à l'extrême-droite. C'était une pièce de bonne dimension qui jouissait d'un éclairage naturel. La fenêtre donnait sur la cour.

— C'est ici que je vais installer mon bureau, dit Marc-Antoine.

— Vous serez très bien. Au fait, que faites-vous ?

— Je suis écrivain.

— C'est bien. Et vous pouvez en vivre ?

Un silence gêné suivit. Le vieil homme baissa la tête et se tordit les mains.

— Désolé, dit-il. Je suis indiscret.

— Non, c'est bien. En fait, je commence à écrire. J'ai publié quelques nouvelles dans les dernières années, mais là, je veux écrire à temps plein. Ne vous en faites pas pour le loyer, j'ai un petit montant d'argent. Un héritage.

En prononçant ce dernier mot, le visage de Marc-Antoine s'assombrit et il regarda par la fenêtre, sans vraiment porter attention à ce qu'il voyait. Gustave lui dit quelque chose, sans qu'il ne comprenne de quoi il s'agissait.

— Quel type de texte écrivez-vous ? répéta le vieil homme.

— J'ai un projet. J'aimerais écrire un roman policier. Mon père était policier, et on voulait écrire un livre ensemble. On n'en a jamais eu le temps.

Marc-Antoine respira bruyamment. Il repensa à la mort de son père, le printemps précédent. Aux projets qu'ils ne pourraient jamais réaliser. À son départ précipité après l'enterrement. Le voyage en Amérique du Sud, son travail à la mission.

Il secoua la tête pour chasser les souvenirs et reporta son attention sur le vieil homme, qui l'observait en silence.

— Je vais vous faire visiter l'étage du dessous, dit Gustave.

Ils descendirent l'escalier qui faisait face à la salle d'eau. L'escalier était un peu abrupt et manquait d'éclairage. En bas, Marc-Antoine eut un hoquet de surprise.

La salle des maîtres était immense. Elle faisait presque tout l'étage. Pour l'instant, elle était encombrée de nombreuses commodes de bois anciens et d'un lit de cuivre antique, mais Marc-Antoine se dit qu'elle allait être magnifique une fois repeinte et un peu moins chargée.

Seule autre pièce de l'étage, en descendant les dernières marches, on découvrait, cachée à la gauche de l'escalier, la porte de la salle de bains qui communiquait avec la chambre des maîtres. Marc-Antoine ne put retenir un sifflement admiratif en voyant une salle de bains digne d'un luxueux hôtel : bain sur podium, douche dans le coin droit et lavabo surmonté d'un grand miroir.

Marc-Antoine n'en croyait pas ses yeux. Il se retourna vers le vieil homme, qui se contenta de sourire en hochant la tête.

— Ça vous plaît ? demanda Gustave.

— Bien sûr ! Mais j'ai l'impression de m'être trompé d'endroit. Sur l'annonce, il est indiqué que vous louez le logement 500 $.

— C'est bien cela.

— J'imagine que le chauffage et l'électricité ne sont pas inclus.

— 500, chauffé et éclairé.

— C'est incroyable. Est-ce que je peux savoir pourquoi vous le louez à ce prix-là ?

Le vieil homme baissa les yeux.

— Madame Labaie vivait ici depuis 10 ans. Elle était déjà là quand j'ai acheté l'immeuble il y a huit ans. Je m'étais attaché à elle. Et elle est morte cet automne.

Un silence tendu conclut cette réponse. Les deux hommes retournèrent au salon et s'assirent sur le divan couleur rouille qui, à défaut d'être esthétique, se révéla confortable. Le vieil homme retrouva son air affable et il se pencha sur Marc-Antoine, assez pour que ce dernier sente son haleine de tabac.

— Avez-vous une voiture ?

— Non.

— Je crois que c'est aussi bien comme ça. Les stationnements manquent dans le coin. Et presque tous les autobus passent juste à côté d'ici, au carré d'Youville. J'ai les horaires d'autobus si vous les voulez.

— Ça va, je connais le quartier. Je suis originaire de Sainte-Foy, alors j'ai passé mes fins de semaine en ville.

— Alors ?

Marc-Antoine resta un moment silencieux à observer le vieil homme, incertain du sens de la question.

— Voulez-vous prendre le logement ? reprit Gustave.

— Oui, il m'intéresse beaucoup.

— Eh bien ! il est à vous.

Le vieil homme se releva et se rendit à la cuisine. Il revint l'instant d'après avec un bail et un crayon qu'il tendit à Marc-Antoine.

— Vous ne faites pas d'enquête de crédit ? demanda ce dernier.

Gustave lui fit un clin d'œil, ce qui accentua les rides sous ses yeux.

— Non, je vous fais confiance.

Marc-Antoine emménagea dès le lendemain en fin d'après-midi. Avec l'aide de deux amis, il plaça ses choses dans le logement. Sa mère lui avait proposé son aide, mais il avait décliné l'invitation. Ils ne s'étaient pas quittés dans les meilleurs termes et il le regrettait un peu, il savait qu'il était fautif. Toutefois, c'était plus fort que lui. Penser à la mort de son père, parti dans la force de l'âge, le mettait en colère. En présence de sa mère, il ne pouvait que ressentir le deuil qu'il avait voulu fuir dans ses voyages.

Le déménagement ne fut pas trop pénible, car Marc-Antoine ne possédait aucun meuble à part son bureau d'ordinateur et trois bibliothèques, qu'il installa dans sa salle de travail. Le reste, c'était des vêtements, quelques souvenirs et des livres, beaucoup de livres. Il n'avait pas encore acheté d'assiettes et d'accessoires de cuisine, alors sa mère lui avait prêté le nécessaire en attendant. Une fois le travail terminé, les trois amis allèrent manger dans un restaurant à quelques minutes de marche.

Après le dessert, ses compagnons lui proposèrent de l'aider à vider ses boîtes, mais il refusa. Il prétendit qu'il était fatigué et qu'il voulait se reposer. Ses amis ne s'en formalisèrent pas ; depuis son retour de voyage, Marc-Antoine refusait presque toutes leurs invitations. D'ailleurs, ils ressentaient souvent un malaise quand ils le voyaient à cause de son attitude distante, comme s'il ruminait sans cesse les mêmes pensées.

De retour chez lui, Marc-Antoine fit le tour de son logement pour apprivoiser ces lieux où il allait vivre. Il n'avait pas encore fait le tri des meubles qu'il voulait garder et de ceux dont il comptait se débarrasser. Pour l'instant, il allait vivre dans le mobilier de madame Labaie. Il ne défit pas ses boîtes, n'en trouva pas l'énergie. Le logement au complet en était encombré, dont sa collection de 3000 livres. Par contre, il plaça son ordinateur et son imprimante sur la table de travail. Il fit démarrer l'ordinateur et voulut naviguer sur Internet. Il se rappela trop tard que la ligne téléphonique ne serait pas installée avant deux jours. Il jongla avec l'idée de commencer à écrire, mais l'entrain n'y était pas. Il passa donc le temps à jouer aux cartes sur l'ordinateur en somnolant.

Vaincu par la fatigue, il se laissa glisser dans son lit et s'endormit aussitôt.

Il est dans une chaloupe qui tangue à peine. Il sent un vent très léger qui vient du nord. Ça sent le poisson et l'huile à mouches. Dans ses mains, il tient une canne à pêche française, beaucoup plus longue que les cannes nord-américaines. Un cadeau d'un ami français. Le soleil commence à se montrer entre les montagnes et son reflet orangé danse sur la surface du lac. Au loin, on entend le cri d'un huard repris par l'écho qui va décroissant. Marc-Antoine se retourne et voit son père. Il n'est pas surpris. Il sent son cœur se gonfler. Il veut lui parler. Lui dire quelque chose. Qu'il lui a manqué ! Aucun mot ne sort. Il a l'impression que s'il formule ses pensées, elles vont devenir banales. De toute façon, le regard gris de son père semble lui dire qu'il comprend.

Marc-Antoine tourne la tête vers le bout de sa canne, qui vient de pencher.

— Ça mord, dit-il.

Son père sourit, les yeux rieurs. Il n'a jamais été aussi heureux que sur un lac.

— Allez, dit-il, ramène-la.

Marc-Antoine donne un coup sec et ramène sa ligne un peu. Il ne sent plus le poisson tirer.

— Je crois que je l'ai perdu.

— Il va revenir.

Marc-Antoine a une nouvelle touche. Il relève brusquement la canne. Cette fois-ci, le poisson est bien accroché. Il ramène doucement sa ligne, alors que son père se penche avec l'épuisette pour capturer la prise. Ensemble, ils la sortent de l'eau. Une belle truite.

Marc-Antoine en a les larmes aux yeux. Il n'a pas pêché depuis ses quinze ans. Il se retourne vers son père en souriant. Leurs regards se croisent.

« Ce n'est pas mon père. »

Aussitôt, Marc-Antoine se réveilla, le souffle haletant. Il sentait le rêve lui échapper. Il n'en gardait plus que quelques bribes. Un instant, il crut reconnaître celui qui avait pris la place de son père.

Il allait prononcer son nom. Puis, l'oubli. Du rêve, il ne resta plus qu'un malaise qui s'évanouit à son tour.

Marc-Antoine se rendormit et vogua vers de nouveaux rêves.

2 : Le Voyageur

Un deux et demi à peine éclairé, mal chauffé. Je grelotte. Je grelotte et j'attends. Je n'ai même pas la télévision pour me divertir. À la radio repassent sans cesse les mêmes vieux succès : les *Beach Boys*, les *Beatles*, *Jefferson Airplane*, *Simon and Garfunkel*, *Elvis*… Je n'ai même pas la force de fermer l'appareil, une antiquité venue d'un autre âge. Je continue donc de me laisser bercer par la musique aux sons alourdis par la distorsion que dispense la bête. Cela contribue à créer une ambiance étrange, irréelle, qui rejoint mon état d'esprit. Couché sur un vieux futon inconfortable, maculé de taches de bière et d'urine dont certaines sont encore humides, j'attends. J'attends l'arrivée du Voyageur, comme je l'appelle, à défaut de lui connaître un nom. Je repense à ces années perdues à le pourchasser aux quatre coins du globe : des monts argentins aux déserts enneigés du Yukon, d'où je me suis rendu aux rizières chinoises avant de finir ma route près des mines de diamants de l'Afrique du Sud. À chacun de ces endroits, tout comme dans les milliers d'autres lieux que mes pieds ont foulés, je l'ai vu. Parfois à quelques mètres de moi. Sans jamais l'attraper ni même lui parler. Je l'ai maudit, je l'ai traité de tous les noms ; cependant, un seul est resté : le Voyageur.

Mais là, j'ai décidé de cesser de courir après lui. J'ai parcouru le monde en vain. Alors, je me décide à l'attendre ici, dans ce logement. Dans mon pays, ma ville. Je sais qu'il va venir. Je le sens. C'est comme un pressentiment, un sixième sens, qu'en sais-je ! Tout ce que je peux affirmer, c'est qu'il va venir.

Un regard circulaire autour de moi me montre des accumulations de cendre, une véritable chaîne de montagnes, qui recouvrent toute la pièce. Cette vision me fait regretter ma réserve de cigarettes épuisée. Toutefois, je ne peux partir m'en procurer de nouvelles de peur que le Voyageur ne passe pendant mon absence. Je me penche donc et ramasse une cigarette à demi consumée que je savoure jusqu'au filtre. Pendant ce temps, à ma droite, dans un minuscule bocal, deux poissons sous-alimentés tournent sans cesse en rond. L'un d'eux passe de plus en plus de temps sur le dos. Je ne leur ai même pas encore trouvé de noms. Pourtant, ils vont disparaître bientôt.

À ma gauche, des piles et des piles de vieux journaux couverts d'excréments. Les miens, je crois. On dirait des litières. Un peu comme si mon impression d'être un gros félin en cage se révélait juste. À mes pieds, des restes de pizzas, vestiges de l'époque où j'avais les moyens de faire venir mes repas.

L'horloge indique presque deux heures ; il n'y a pas un bruit. Je suis installé devant la fenêtre qui donne sur la rue déserte afin de le voir arriver. J'attends. La chaussée a revêtu son manteau de neige blanche. De doux flocons tombent d'ailleurs sans arrêt depuis le début de la nuit. Peut-être cela retardera-t-il son arrivée. Mais je sais qu'il va venir, il va me rejoindre. Il le faut.

Je me souviens de notre première rencontre : la Floride, à la fin des années 1970. J'avais à peine huit ans et, avec mes parents, je fuyais l'hiver. Je l'ai à peine entraperçu du coin de l'œil, comme un millier de visages anonymes captés par ma rétine avant et après cet événement. D'un seul regard, il a attiré mon attention de telle façon que sa personne s'est glissée dans mon esprit comme une photo dans un album : c'était un homme prématurément vieilli par la vie, étendu sur la plage, une bouteille de bière vide entre les jambes. Un clignement d'yeux plus tard, il avait disparu. Pourtant, je n'ai jamais oublié sa chemise crasseuse et informe, d'une couleur qui tirait sur le rouge, son pantalon de laine rapiécé, son veston de tweed qui semblait n'être qu'une pâle caricature de la veste chic qu'il avait dû être lorsque son premier propriétaire paradait dans les soirées mondaines. La barbe du Voyageur semblait bleutée, avec de longues percées blanches, et ses cheveux abondants tombaient en mèches rebelles dans son dos. Mais ce qui a le plus retenu mon attention, ce fut son regard : de grands yeux bleu gris, perçants, qui semblaient voir au-delà de moi ; des yeux dénués de tout sentiment, de toute émotion, des yeux qui, en y pensant bien, auraient parfaitement cadré sur un automate sans vie et sans passion.

À 16 ans, lors d'un voyage communautaire au Nicaragua, j'ai revu le même homme couché à l'ombre d'un arbre en plein cœur d'un bidonville. Je demeure à ce jour persuadé qu'il m'a vu et qu'il m'a fait un clin d'œil juste avant de disparaître une fois encore. Puis, deux ans plus tard, le Voyageur siégeait au premier rang dans le stade de Mexico pendant un match de la coupe du monde de soccer. J'avais réussi à me dénicher des billets sur le marché noir et j'étais installé dans les derniers rangs. Lorsque j'ai repéré mon homme, qui regardait d'un œil neutre la progression du ballon, je me suis faufilé dans la foule en délire pour me rendre jusqu'à lui. Une fois rendu au premier rang, je n'ai trouvé qu'un siège vide entre deux partisans de l'Argentine à l'haleine fortement alcoolisée. Je les ai interrogés dans un espagnol hésitant, et ils m'ont confirmé qu'un vieil homme à l'aspect crasseux occupait le siège entre eux. D'après leurs dires, il sentait la charogne.

Après ces rencontres, ma vie n'a été qu'un long pèlerinage qui m'a conduit dans presque tous les pays du monde. Je les ai parcourus à dos de cheval, de mulet, à pied, en auto, en autobus et en avion. Tour à tour, je pourchassais et fuyais le Voyageur. À tout coup, je le voyais ; immanquablement, je le ratais.

Qui est le mystérieux Voyageur ? Un quart de siècle après notre première rencontre, je l'ignore toujours. Pourtant, je sais qu'il existe. Après tout, plusieurs personnes m'ont confirmé l'avoir vu, dont les deux Argentins à Mexico. J'ai donc commencé à parler du Voyageur avec mes parents et mes amis lorsque je les voyais, de même qu'avec des relations de voyage. La plupart des personnes interrogées ont admis qu'elles avaient vu un individu correspondant à mon homme, comme si son apparence fantasque avait capté leur curiosité à elles aussi, mais à un degré moindre. Plus surprenant encore, j'ai reconnu son visage sans âge dans une voiture située à l'arrière-plan d'un cliché pris par mes parents lors de leur voyage de noces. Je me suis alors mis à éplucher les albums de photos familiaux. À plusieurs reprises, je l'ai vu. Tout seul, rachitique, à l'arrière-plan ou encore sur le côté, le visage à moitié coupé par le cadre, portant chaque fois les mêmes vieux habits usés jusqu'à la corde. En observant d'autres albums de photos de parents et d'amis, j'ai fait la même constatation. Le bougre se trouvait partout, à toutes les époques. Toujours exactement pareil : mêmes vêtements, même longueur de barbe et de cheveux, même regard absent, ou plutôt effrontément neutre.

Depuis peu, je suis de retour à Québec. Ma mère a, encore une fois, consenti à me prêter de l'argent. De nouveau, elle m'a fait un discours sur l'importance de me trouver un emploi. Elle m'a rappelé qu'elle ne pourrait pas subvenir éternellement à mes besoins et me payer tous mes voyages. La brave femme, je me demande ce qu'elle a fait pour avoir un fils comme moi... Je lui apporte peu de choses, sinon des raisons de dépenser son argent. Pour la première fois depuis une décennie, je me suis installé dans mon pays dans ce minable logement que j'ai sous-loué. Et j'attends. Je sais qu'il va venir. J'espère qu'il ne tardera pas, car l'argent maternel s'est volatilisé et je n'ai plus la volonté de sortir de ces lieux. D'ailleurs, je me déplace de moins en moins. Je dois même m'obliger à bouger les extrémités de mes membres pour éviter qu'ils s'engourdissent trop. J'ai si peur de le rater ! Alors, j'espère toujours son arrivée...

Tous mes voyages ont fait de moi un étranger. Un éternel Voyageur victime de la route, perdu dans mes mille parcours. Je regarde le monde autour de moi sans vraiment le comprendre, comme si les gens vivaient dans un autre univers que le mien. Je suis capable de m'adapter à tous les styles de vie, mais j'ai l'impression qu'il y a sans cesse une distance entre le monde et moi. Même ici. Surtout ici. Alors, j'attends encore et toujours. La lumière se lève. Le monde se réveille sous mes yeux. La foule des travailleurs envahit la rue. Mais j'attends. J'attends l'arrivée de cet homme, de cet inconnu : le Voyageur. Il doit venir.

Je me regarde et mets un moment à me reconnaître. Comme toujours. J'ai tant négligé mon apparence que mes cheveux ont blanchi prématurément. D'un seul coup d'œil, je me rends compte de l'ampleur des dégâts : mon pantalon de laine imprégné d'urine, ma chemise qui était rouge il y a une éternité de cela, mon vieux veston de tweed défraîchi, ma barbe bleutée, mes cheveux qui me caressent le bas du dos… Oui, il faut qu'il vienne !

À moins que je ne sois le Voyageur !

3 : L'Arracheur de rêves (2)

À son réveil, Marc-Antoine eut peur. Non pas à cause du rêve, mais à cause de l'impression qu'il lui avait causé. Il rêvait peu. Du moins, il ne se souvenait jamais de ses rêves. Alors que là, tout avait été si précis ! Trop. Le temps de ce songe, il avait été un autre, à la fois similaire et différent de lui. Oui, à la mort de son père, il avait quitté le pays. Il avait travaillé un temps dans une mission en Colombie avant de faire le tour de l'Amérique latine. Par contre, il n'avait rien en commun avec le protagoniste de son rêve. La seule raison de son départ avait été l'oubli : faire disparaître les images de cet homme qui devenait sans cesse plus faible, plus maigre. De son père à l'agonie. Marc-Antoine secoua la tête pour ne plus revoir le regard de son père perdu dans les brumes de la morphine quelques secondes avant de mourir.

Il repensa plutôt à son rêve. Quant à cet homme, le Voyageur, juste de l'imaginer, il ressentait des frissons dans le dos. Confusément, il lui rappelait un autre homme, un autre rêve. L'homme qui avait remplacé son père dans ce rêve, déjà plus flou, évanescent, celui où il pêchait avec un homme qui n'était pas son père.

Marc-Antoine se secoua et alla sous la douche. Les jets d'eau chaude eurent tôt fait de chasser les dernières brumes du rêve. Seul un léger malaise persista. Au sortir de la salle de bains, une serviette autour des hanches, il vit l'heure sur le réveil posé à côté de son lit. Treize heures ! Il mit un moment à faire le calcul. Il se souvenait de s'être couché tôt, un peu avant 22 heures. Il avait donc passé les quinze dernières heures au lit. Lui qui avait peine à dormir quelques heures à l'habitude, il n'en revenait pas.

Il laissa tomber la serviette et passa des vêtements qu'il avait laissés sur la commode : un jean, des bas de laine et un chandail. Il se dirigea ensuite vers son bureau et s'assit pour écrire. Il ouvrit un document qui contenait une nouvelle déjà amorcée. Il la relut à voix haute pour se remettre dans l'ambiance. Il se leva pour manger avant de continuer l'histoire.

Comme il ne trouva rien dans ses armoires et dans son réfrigérateur, il commanda une pizza. En attendant qu'elle arrive, il se choisit un livre. Il opta pour un Sherlock Holmes. Il projetait d'écrire une série de romans policiers mettant en vedette un détective québécois nommé Charles Lockholm – il avait choisi le nom de famille à dessein pour sa sonorité rappelant le nom du célèbre détective de Conan Doyle.

À l'extérieur, le soleil brillait et une fine couche d'eau de pluie s'évaporait au sol. Marc-Antoine profita du beau temps pour lire sur le balcon. Il prit place sur un petit banc sur la galerie. Il remarqua un voisin en train de fumer sur la galerie de l'autre côté. Il jongla un instant avec l'idée de lui parler, mais la repoussa. Il aurait du temps pour les présentations ; pour l'instant il voulait profiter de la clarté du jour pour lire en plein air, même si la lumière trop franche du soleil l'obligeait à plisser les yeux.

Il plongea donc dans les aventures du détective londonien. Après une dizaine de pages, il eut l'impression d'être observé. Il releva la tête et remarqua Gustave à quelques pas de lui.

— Désolé, dit le vieil homme, je ne voulais pas vous déranger.

— Vous ne me dérangez pas du tout, dit Marc-Antoine en refermant le livre. Vous me cherchiez ?

— Non, je venais juste prendre un peu l'air.

Au regard étonné de Marc-Antoine, le vieil homme ricana.

— J'ai oublié de vous dire que j'habite juste à côté.

Il pointa une porte à quelques pas de là.

— Alors, comment s'est passé le déménagement ? demanda Gustave.

— Très bien. Il faut dire que je n'ai pas beaucoup de choses. Je n'ai pas encore tout placé. En fait, j'étais si fatigué que j'ai dormi une quinzaine d'heures.

— C'est le cas de le dire, vous étiez fatigué.

— J'ai fait des rêves bizarres aussi. J'imagine que c'est parce que je ne suis pas habitué de dormir ici.

— Vous êtes écrivain. Vous devez rêver beaucoup, non ?

— Pas vraiment. En fait, je me souviens rarement de mes rêves.

— J'ai déjà entendu un écrivain qui disait qu'il trouvait son inspiration dans ses rêves. Est-ce votre cas ?

— Parfois, je pense à une histoire avant de m'endormir, surtout quand la construction de l'intrigue est bloquée. Ça arrive qu'elle débloque pendant la nuit. Mais je ne trouve pas la matière première de mes histoires dans mes rêves, non.

Le vieil homme hocha la tête, pensif, en frottant son menton desséché.

— Vous devez avoir beaucoup d'imagination. Je veux dire, pour trouver vos histoires.

Marc-Antoine sourit intérieurement. Voilà que la discussion prenait une tournure habituelle. Il prédit, un instant avant que ça ne se produise, que le vieil homme allait lui demander où il prenait ses idées. Il s'efforça de sourire, avant de répondre :

— Les idées, c'est la partie la plus facile. On en a tous les jours. Le plus dur, c'est de les mettre ensemble pour former une histoire et d'écrire le tout de façon intéressante pour les autres.

Le vieil homme s'approcha de lui en souriant. Il allait ouvrir la bouche pour poser une question, quand le bruit de la sonnette se fit entendre, étouffé à cause de la distance. La pizza venait d'arriver. Marc-Antoine mit un moment à réagir. Ce visage. Il l'avait vu quelque part. Oui, le rêve. Les rêves.

— Tu ne réponds pas ? demanda Gustave.

Marc-Antoine voulut dire quelque chose. Il se rendit compte que ça n'avait aucun sens. Lui dire quoi ? Qu'il avait rêvé à lui ! Il salua le propriétaire du logement de la main et alla répondre. Avant de regagner son logement, il vit le vieil homme lui faire un clin d'œil.

Le soleil était couché depuis un moment. Marc-Antoine pianotait fiévreusement sur le clavier de son ordinateur. Après avoir mangé deux pointes de pizza, il avait enfin trouvé comment amorcer son roman policier. Porté par l'élan, il avait mis de côté la nouvelle déjà amorcée pour commencer ce nouveau projet qui l'inspirait beaucoup plus. Depuis, il avait écrit les vingt premières pages, ne prenant une pause que pour manger le reste de la pizza oubliée sur la table de la cuisine.

Vers vingt-trois heures, il s'arrêta et passa le correcteur orthographique sur l'ensemble du texte afin de gagner du temps pour ses corrections du lendemain. Souvent, quand il entrait dans l'histoire, particulièrement lors de l'écriture du premier jet, il truffait ses textes d'erreurs d'inattention. Il s'était rarement senti aussi satisfait d'un de ses écrits. Il trépignait d'excitation. Enfin, il tenait son sujet. Il n'avait jamais composé plus de dix pages dans une journée. Et encore, il s'agissait d'une performance inhabituelle. Le logement devait avoir des effets bénéfiques sur sa création.

Le fil de ses idées s'en alla sur la demeure, sur ses rêves, sur la présence du propriétaire dans ses songes. Il eut un frisson, qu'il chassa aussitôt. Ce n'était pas comme s'il avait fait des cauchemars. Des rêves bizarres tout au plus. Normal, quand on arrive dans un nouvel environnement. De toute façon, Marc-Antoine ne voulait pas penser à autre chose qu'à son livre. Alors qu'il corrigeait le texte, il se surprenait à imaginer le succès qu'il pourrait avoir avec ce roman. Il pourrait même écrire une série complète mettant en vedette ce personnage. Charles Lockholm, le Sherlock Holmes québécois.

Bientôt, il en vint à oublier les corrections. Il se laissait porter par ses pensées. Sans qu'il ne s'en rende compte, il ferma les yeux et trouva le sommeil, appuyé sur son bureau.

4 : La Dernière enquête

Claude s'installe devant son ordinateur portable posé sur la table de la salle à manger. La lumière du soleil perce entre les lattes du store et vient découper des zones de lumières sur l'écran. Claude ne les remarque pas, trop concentré sur son roman presque arrivé à terme. Même s'il est plus de midi, l'auteur ne porte que sa robe de chambre d'un bleu délavé. Il a une barbe de quatre jours, et ses cheveux sont dans le plus complet désordre. Le roman est presque terminé. Ne reste plus qu'à trouver la dernière phrase, celle qui clôturera la toute nouvelle aventure de Charles Lockholm. Son vieux mentor lui a toujours dit de soigner particulièrement la première et la dernière phrase de ses textes : la première et la dernière impression. Claude se gratte le menton, et un sourire s'épanouit sur ses lèvres. Il fait craquer ses jointures derrière son cou et s'apprête à écrire, quand quelqu'un frappe à la porte.

Claude pousse un soupir et met ses pantoufles. Ça cogne de nouveau.

— J'arrive, j'arrive. Pas de panique.

Il se rend au vestibule et ouvre la porte. Un homme en veston gris lui fait face. Il porte une mallette à la main. Claude comprend trop tard qu'il n'aurait pas dû répondre.

— Bonjour, monsieur ! Je m'appelle Jean Dumais et je représente la compagnie d'assurances…

— Désolé, mais j'ai déjà une assurance personnelle, le coupe Claude d'un ton catégorique.

— Vous avez une assurance personnelle, c'est bien. Mais avez-vous une assurance responsabilité ?

— J'ai déjà tout ça, merci.

Le vendeur ouvre des yeux grands comme ceux d'un poisson.

— Comment pouvez-vous dire cela ? Je n'ai même pas eu le temps de vous parler de notre service.

Claude lance un regard assassin au vendeur d'assurance avant de répéter :

— Merci.

Et il lui claque la porte au nez.

Claude retourne à l'ordinateur. Il s'arrête devant le miroir du salon, une glace presque aussi grande que lui, et jette un coup d'œil à son apparence. Il plisse le nez en signe de dégoût et tente de replacer ses cheveux, en pure perte. Il hausse les épaules et retourne écrire en grommelant. Il observe la bibliothèque du salon. Tous ses livres y sont rangés : les deux romans de Charles Lockholm, les trois recueils de nouvelles de son détective fétiche, ainsi que les huit autres romans. D'où il est, il ne voit que l'épine des livres avec son nom, Claude Marcel. *Bon, terminons le petit dernier*. Il se masse le cou, fait craquer ses jointures derrière sa nuque et relit les dernières lignes du texte. *Qu'est-ce que j'allais écrire ? Ah oui !* La conclusion du texte lui revient en tête. Il trouve même une formulation plus efficace. Il se penche sur le clavier.

Et le téléphone sonne.

Claude secoue la tête. Il expire bruyamment et prend le combiné.

— Oui, allo ?

— Claude, c'est Laurent. Juste pour te rappeler que l'émission commence.

— L'émission ? Ah oui ! j'allais complètement l'oublier. Merci. On se reparle après.

Claude raccroche avant de se lever et de courir jusqu'au salon. Il empoigne la commande à distance et s'écrase dans le fauteuil. Il ouvre la télévision et sélectionne le bon canal. La musique d'introduction de l'émission culturelle se termine. La caméra montre le profil de la chroniqueuse littéraire. Avec ses belles boucles blondes, elle est assez jolie. Cependant, Claude lui trouve un air un peu niais. Peut-être à cause de son sourire ?

— Eh bien ! Marc-André, commence la chroniqueuse de sa voix criarde, l'événement littéraire de la saison approche à grands pas. On m'a confirmé ce matin que le prochain Charles Lockholm devrait sortir sous peu. L'auteur met la dernière main au texte, qui est fort attendu par les nombreux fans de la série. À ma connaissance, il n'y a pas d'équivalent québécois à cette série au charme vieillot. En deux romans et 18 nouvelles…

Vingt-quatre, épaisse. J'en reviens pas. Même pas capable de faire sa recherche comme il le faut !

— … le personnage de Lockholm est devenu un classique de la littérature policière. Au Québec, tous les livres de la série sont continuellement sur la liste des meilleurs vendeurs. Et les romans sont traduits en neuf langues. On parle même d'une édition russe pour l'automne. Claude Martial est…

Marcel, idiote. J'en reviens pas… faire une erreur sur mon nom.

— … en train de s'imposer comme notre Conan Doyle national.

L'animateur regarde la chroniqueuse en haussant le sourcil droit.

— Excuse-moi, Josée, mais qui est Conan Doyle ?

Josée – *quel nom stupide !* – a un petit rire idiot. Plus un gloussement qu'un rire en fait. *Le même qu'elle doit avoir quand il la drague après le tournage.*

— Sir Arthur Conan Doyle. Le créateur de Sherlock Holmes.

L'animateur – *encore un petit merdeux qui a eu le job parce que son père est dans le milieu* – rit à son tour.

— Bien sûr. Je connais le personnage, mais j'oublie toujours le nom de l'auteur.

Wow! et t'animes une émission culturelle. Bravo, mon grand !

Il y a un moment de silence, comme si la chroniqueuse attendait un signal avant de continuer. L'animateur fait un sourire charmeur à la caméra avant de reprendre.

— Est-ce que, comment il s'appelle déjà ? Claude…

— Martial, complète Josée, joyeuse comme une étudiante qui a l'occasion de donner la bonne réponse devant toute la classe.

Non, mais elle fait exprès, la conne !

— Oui, dit l'animateur sans se départir de son sourire. Est-ce qu'il a écrit autre chose ? Je veux dire, à part les aventures de Charles Lockholm.

Josée semble bien embêtée. Elle hésite un moment, puis secoue la tête. L'instant d'après elle adopte une attitude qu'elle veut confiante.

— Je ne crois pas, non. Il a écrit le premier

roman de la série en 1997. Le reste a été publié entre 2000 et 2003.

Claude ferme la télévision et jette la commande à distance contre le mur. Le plastique se brise, des morceaux s'éparpillent sur le sol, une pile roule même jusqu'à Claude. L'écrivain lui donne un coup de pied rageur.

Le téléphone sonne.

Claude arrache le combiné.

— Oui ? dit-il d'un ton un poil en dessous du cri.

Avant même que son interlocuteur ne parle, Claude sait qu'il s'agit de son éditeur.

— Je sais qu'elle a fait quelques petites erreurs, commence Laurent sur un ton conciliant.

— Des petites erreurs ! Je n'ai rien publié d'autre, moi ? Huit romans. Huit *crisses* de romans. Elle vient d'effacer tout ça.

— Calme-toi, Claude. Les vrais amateurs de littérature n'ont pas besoin d'elle pour savoir que tu as écrit de grands livres.

— Me calmer ? Non, je ne me calmerai pas ! Le prix Découverte de l'année, deux nominations au prix du Gouverneur général... Et une petite connasse vient effacer tout cela. Charles Lockholm ! Charles Lockholm ! C'est de la littérature de gare. Et elle... elle s'extasie devant ça ! Sais-tu quoi ? Le prochain, celui que je suis en train de finir, ça va être le dernier de la série.

— Tu ne peux pas faire ça !

Claude prend un air grave. Il colle sa bouche contre le combiné et articule lentement.

— Oh oui ! Je le peux. Prépare-toi tout de suite. Ça va être sa dernière enquête. Ça va même être le titre du livre : « La Dernière enquête ».

— Voyons, le livre est presque terminé. Tu dois me l'envoyer demain.

— Je sais. J'ai bien assez de 24 heures pour modifier la fin. Juste quelques ajustements. Au lieu d'arrêter Marty, le génial criminel, Lockholm va mourir. Aussi simple que ça.

Claude ferme le téléphone avec vigueur. Il regarde la bibliothèque. Voit les livres. Ses livres. Sans réfléchir, il court vers le meuble et retire toutes les aventures de Lockholm. Il arrache les pages. Casse les couvertures. Jette les restes au sol. Et les piétine. Il se dirige ensuite vers l'ordinateur l'air menaçant.

Il n'est pas encore assis que le téléphone sonne. Claude hurle dans le combiné.

— Je ne changerai pas d'idée !

Son visage se décompose. Il prend un air plus sage, comme un enfant pris en faute.

— Maman, désolée. Je t'ai pris pour un autre.

— Je viens d'écouter l'émission du p'tit Marc-André. Je l'aime tellement, lui. Ils ont parlé de ton livre. Tu dois être content.

— La chroniqueuse n'a pas été capable de dire mon nom sans se tromper.

— Mais elle est tellement sympathique.

Claude sourit. Un sourire amer. *Ouin, on peut dire que la vieille quand elle aime, elle aime.* Il veut donner des arguments pour modifier l'opinion de sa mère, tout en reconnaissant la futilité de l'entreprise. Un signal sonore providentiel lui permet de se sortir de ce mauvais pas.

— Maman, je suis désolé, j'ai une deuxième ligne. Je te reviens dans un instant.

Claude appuie sur le bouton de la deuxième ligne.

— Oui, allo !

— Claude, j'y ai pensé, et ça n'a pas d'allure, ton idée de tuer Lockholm. Je comprends que tu puisses en avoir assez, mais termine ton roman et envoie-le-moi. Ensuite, tu prendras une pause. Tu pourras même écrire quelques romans de vraie littérature en attendant. Et quand tu en auras envie, tu retourneras à tes aventures policières.

— Laurent, je pense que tu ne comprends pas. Lockholm, c'est fini. Et je ne reviendrai pas là-dessus.

Claude entend l'éditeur qui se racle la gorge.

— J'espérais ne pas avoir à en venir là, commence Laurent d'un ton hésitant. Mais tu sais que tu es sous contrat avec nous pour deux autres romans.

— Je le sais parfaitement. Je vais t'envoyer mes deux prochains livres, ne t'inquiète pas. C'est juste que ce ne seront pas des histoires policières. Finie, la littérature de gare pour moi. Je vais t'envoyer de la vraie littérature. Des romans qui vont me survivre.

— Voyons, tu ne peux pas faire ça.

— Tu te répètes là. Bon, je vais t'expliquer les choses plus simplement. J'écrivais des Lockholm pour payer le loyer. Maintenant, je n'en ai plus besoin : j'ai assez d'argent pour vivre. Je veux être reconnu pour mes bons livres.

— Tu ne peux pas…

— Faire ça ? Change de disque. Ah ! Et va donc chez le diable !

Claude raccroche. *Enfin.* Il se dirige vers l'ordinateur, prêt à commettre un meurtre littéraire. Une lumière cruelle brille dans son regard.

Et le téléphone sonne.

Encore ! Il décroche, excédé. Avant même qu'il n'ait eu le temps de dire quoi que ce soit, sa mère commence à le sermonner pour lui avoir raccroché au nez.

— Désolé, maman. Je t'ai oubliée. Je parlais avec mon éditeur, et on s'est disputés. Il est fâché parce que je vais faire mourir Lockholm dans sa prochaine aventure.

Claude entend un cri désarticulé à l'autre bout de la ligne.

— Maman, ça va ? demande-t-il, une note d'inquiétude dans la voix.

— Tu ne vas pas faire ça ! dit-elle d'une voix étranglée.

— Pas toi aussi…

— Pourquoi tu veux le faire mourir ? Tu sais que je l'aime, moi, ton détective. Ce sont les meilleurs livres que tu as écrits. Tes autres… ils sont trop compliqués.

— Maman, je ne reviendrai pas sur ma décision.

— C'est comme tu veux.

— Maman, tu ne vas pas me faire la gueule.

— Non, dit-elle d'un ton qui dit le contraire.

— J'en reviens pas que tu prennes ça comme ça ! Ben, si c'est ce que tu veux, vas-y. Boude.

Il raccroche. Presque aussitôt, la sonnerie du téléphone retentit. Claude prend le fil du téléphone et l'arrache sans ménagement. La sonnerie continue, plus lointaine. Claude court jusqu'à sa chambre. Il cherche le téléphone, alors que celui-ci est à sa place habituelle, sur la table de chevet. En s'y dirigeant, Claude passe près de tomber. Il se stabilise en mettant un bras sur le lit. Puis, il s'agenouille et débranche le fil.

Enfin, le silence.

Claude s'étend un moment sur le lit, les bras en croix. Il ferme les yeux et prend de grandes respirations. *Reste calme. Récris le dernier chapitre, tout devrait bien aller.* Lorsqu'il se sent apaisé, il se lève et retourne à la salle à manger. Il s'assoit devant son ordinateur, se masse le cou et fait craquer ses jointures sur sa nuque. *Allons-y !*

Il sélectionne tout le dernier chapitre et l'efface, sans même le relire. *Je n'ai plus de choix maintenant, je n'ai pas de copie de secours.* Il doit récrire la scène finale, la rencontre entre Lockholm et son ennemi. Seulement, la rencontre prendra un tournant inattendu pour le célèbre détective.

Claude laisse aller ses doigts sur les touches du clavier.

Lockholm sait que son ennemi va le rejoindre. Jusque-là, il n'a rien montré pour ne pas alerter Ashton, son compagnon. Maintenant que celui-ci est reparti vers l'hôtel, Lockholm attend l'arrivée du docteur Marty, l'insaisissable chef du crime organisé qui joue avec les groupes criminels comme avec de vulgaires pions sur un échiquier. Maintenant que l'empire de son ennemi est tombé, Lockholm attend la confrontation finale. Marty va tout mettre en œuvre pour se venger. Le bruit des chutes crée une bulle autour de Lockholm et l'isole du monde extérieur. C'est au pied des chutes Montmorency que la partie finale va se jouer.

Claude relit le paragraphe qu'il vient d'écrire en se mordillant la lèvre inférieure. *Non, pas les chutes. L'idéal serait un face-à-face dans l'appartement où ils se sont rencontrés la première fois, quand Marty a menacé Lockholm pour le convaincre de se désintéresser de ses affaires. Ainsi, la boucle serait bouclée… Oui, c'est ça.* Claude regarde autour de lui en souriant. L'idée de l'appartement a quelque chose de réjouissant. Après tout, il est construit sur le modèle de celui de l'écrivain.

Claude efface les derniers passages et la moitié du chapitre précédent, où il est question des chutes. Puis, il recommence à pianoter sur le clavier, sans même lire ce qui s'affiche à l'écran.

Lockholm décide de choisir lui-même l'ultime champ de bataille : son vieil appartement. Il n'y vient presque jamais, mais il ne peut se résoudre à laisser aller le bail. Trop de souvenirs.

En arrivant sur les lieux, Lockholm ressent un pincement au cœur. Rien n'a bougé. Rien ne peut montrer que les lieux sont habituellement désertés. Il faut dire que Lockholm a engagé une femme pour faire le ménage tous les deux jeudis. L'appartement est complètement plongé dans le noir. Il n'y a pas de vent. Pourtant, le store vénitien vient cogner contre le rebord de la fenêtre. Cela produit un bruit ténu mais régulier. Un autre homme aurait pu en être irrité mais pas Lockholm. Il s'assoit à la table de la salle à manger face à la fenêtre. Il fixe longuement le store, qui bouge au rythme d'une respiration qui lui est propre.

Maintenant, il faut que je prépare le terrain pour la mort de Lockholm. Il faut que je montre qu'il est prêt ; la pilule va mieux passer.

Lockholm cligne les yeux et prend le paquet de cigarettes dans sa poche intérieure. Il en tire une cigarette et la roule longuement entre ses doigts. Des grains de tabac tombent au sol. Ensuite, il prend son briquet et l'allume contre sa cuisse de sa façon si caractéristique. Il porte la cigarette à sa bouche et sourit. Ce mouvement du visage lui est si peu naturel que des rides apparaissent aux commissure de ses lèvres.

Il est satisfait. Il sait qu'il risque de mourir – il s'y attend presque –, mais au moins il amènera avec lui le plus grand cerveau criminel d'Amérique. L'aboutissement de toute sa carrière.

C'est bien, je vais ajouter des phrases de ce type à l'occasion.

Il repense avec fierté à son enquête et à la façon dont il a démantelé le clan du docteur Marty. Malheureusement, cette inattention ne lui permet pas de voir le docteur, qui approche derrière son dos. L'homme porte des vêtements sombres, comme à son habitude, et il se déplace à pas feutrés. Il tient un pistolet devant lui. Il met Lockholm en joue. Sa main tremble d'excitation. La tension est lourde. Marty fixe le dos de l'homme qui a miné son existence, qui vient de détruire son empire, qui l'a roulé, qui l'a ridiculisé, qui a usurpé son identité, qui a défait son nom, qui a…

Marty pose son arme et regarde vers le ciel :

— Tu ne trouves pas que tu y vas un peu fort ? C'est toi qui lui en veux à ce point. Moi, je veux juste le tuer pour une question d'honneur. Mais, dans les faits, il n'est pas si détestable que ça. Dans un autre contexte, je suis sûr que j'aurais pu l'apprécier.

T'as raison. Que dirais-tu de : « Marty fixe le dos de l'homme qui a détruit son empire, celui-là même qu'il a juré de tuer. » ?

Marty hausse les épaules.

— C'est peut-être un peu lourd comme style.

Aïe ! C'est qui l'écrivain ?

— Tu me demandais mon avis. Je l'ai donné, c'est tout.

Bon, j'efface le dernier passage et je continue.

Marty fixe le dos de l'homme qu'il a juré de tuer. Il avance à pas de loup. Lockholm entend craquer le plancher. Il se retourne. Marty jouit de voir la peur sur les traits du détective. Il pose l'arme sur son front. Il prend bien son temps, savoure chaque moment.

Ça cogne à la porte.

Le plus naturellement du monde, Lockholm remet de l'ordre dans ses habits, alors que Marty prend sa place sur la chaise. Lockholm ouvre la porte.

Un homme et une femme se tiennent côte à côte devant la porte ouverte ; un sourire figé leur mange la moitié du visage. Des sourires artificiels qui détonnent avec leurs habits austères.

— Voulez-vous être sauvé ? demande l'homme en présentant une brochure.

Claude ferme les yeux un instant. *Incroyable ! Est-ce que je ne peux pas écrire en paix ?* Lorsqu'il ouvre les yeux, son visage est dur.

— Vous n'avez pas lu à l'entrée ? Pas de témoins de Jéhovah !

L'homme et la femme se lancent une œillade complice.

— Nous ne sommes pas des témoins de Jého-vah, dit la femme.

— En fait, commence son compagnon, nous sommes…

— J'en ai rien à foutre, le coupe Claude en refermant la main sur la poignée de la porte. Vous auriez beau être la réincarnation de Jésus.

— C'est exactement cela, dit l'homme.

Claude claque la porte. Il s'appuie un moment contre le mur du vestibule et pousse un soupir. Il retourne à sa place devant l'ordinateur, se masse le cou et fait craquer ses jointures contre sa nuque. *Où est-ce que j'en étais ? Ah oui !*

Marty pose l'arme sur le front du détective. Il prend bien son temps, savoure chaque moment.

Lockholm lève les mains en signe d'apaisement. Marty le met toujours en joue. Le détective semble mal à l'aise, alors que le méchant jouit de la situation.

— Voyons, ça ne peut pas finir comme ça, dit Lockholm. Depuis le temps que nous nous livrons une lutte. Si l'un d'entre nous avait eu l'intention de tuer l'autre, ça fait un moment qu'il aurait mis son plan à exécution.

Marty resserre sa prise sur le pistolet sans quitter son ennemi des yeux.

— J'admets que nos petits jeux m'ont amusé, au début. Mais là, c'en est trop. Tu dois mourir.

Encore une fois, ça cogne à la porte

Claude secoue la tête. Il s'arrache de force à la contemplation de son clavier. À l'extérieur, l'autre cogne encore, avec force. En grommelant, Claude se dirige vers la porte. Il ouvre, l'air blasé, et tombe face à un colosse chauve à l'allure patibulaire.

— Salut, dit l'homme d'une voix enrouée par une trop forte consommation de cigarettes et d'alcool. Je suis un ancien mauvais garçon qui vend des crayons pour revenir dans le droit chemin.

— J'en ai déjà beaucoup, merci ! répond Claude d'un ton moins tranchant qu'il ne l'aurait voulu – l'ex-détenu est vraiment baraqué.

Le colosse repousse Claude avec le dos de son avant-bras et entre dans l'appartement. Il regarde autour de lui et pousse un sifflement admiratif.

— Pas dégueu comme appart !

Claude essaie de passer devant l'ex-détenu, mais celui-ci lui fait obstacle avec son corps. *Qu'est-ce que je fais ? J'appelle la police ? Il me bloque le chemin. Je demande l'aide des voisins ? Quelle merde !* Découragé, Claude répond faiblement.

— Merci. Merci beaucoup. J'aime bien mon appartement. Mais je travaille présentement.

L'ex-détenu fait demi-tour et offre un sourire amical à Claude. Il retourne dans le corridor extérieur. Claude tente de refermer la porte derrière lui, mais le colosse bloque le battant avec son pied. Il passe la tête par l'embrasure et observe de nouveau les lieux.

— Ouais, pas dégueu du tout. Tu sais que moi, avant, je cambriolais des maisons. Et des beaux apparts comme le tien. J'attendais que les proprios sortent et j'apportais tout. Une fois, le gars est revenu trop tôt. Je l'ai attaché sur son lit avec un câble électrique. Et je l'ai torturé pendant une heure pour qu'il me donne le NIP de sa carte de guichet. L'idiot, il refusait de parler. Des fois, je me demande à quoi le monde pense...

L'homme secoue sa grosse tête chauve de gauche à droite. Puis, il fixe son regard dans celui de Claude, qui se sent plus petit que jamais. *Ça y est, il va me tuer.*

— C'est pour ça que je me suis retrouvé en d'dans, complète l'ex-détenu. Mais ne t'inquiète pas, je ne suis plus comme ça. Maintenant, je vends des crayons.

Claude déglutit et sort son portefeuille.

— C'est… combien tes crayons ? demande-t-il d'une voix blanche.

— Cinq dollars chacun.

— Cinq dollars ?

L'ex-détenu fait les gros yeux, et Claude baisse la tête. L'autre émet un grognement rauque que Claude met un moment à identifier : un rire.

— Ouais. Mais c'est des bons crayons. Et si tu m'en prends dix, je vais avoir mon quota de la journée. Tu serais bien gentil.

Aïe ! *cinquante dollars. Bof ! si ça me permet d'avoir la paix. De toute façon, on a toujours besoin de crayons.* Claude ouvre son portefeuille et en sort trois billets de 20 $.

— As-tu un dix ? demande-t-il.

— Non.

L'autre prend l'argent avant que Claude n'ait le temps de réagir. Il met les billets dans ses poches et sort de vieux stylos mâchouillés de son sac à dos. Il les donne à Claude et part en fermant la porte. Claude se dépêche de mettre le loquet. Il respire bruyamment, à la recherche de son souffle. *Quelle histoire ! Je pensais bien que j'allais y passer.* Il baisse les yeux et voit les crayons qu'il tient toujours. Il grimace et va les jeter dans la poubelle de la cuisine. Ensuite, il retourne écrire.

— J'admets que nos petits jeux m'ont amusé, au début. Mais là, c'en est trop. Tu dois mourir.

Marty s'apprête à appuyer sur la gâchette. Lockholm émet un petit couinement craintif.

— Mais… articule-t-il avec difficulté.

— Pas de mais. J'ai déjà trop parlé. C'est l'heure de mourir.

Claude entend la détonation comme si Marty et Lockholm se trouvaient à côté de lui. Un deuxième coup se fait entendre. Il relève la tête. *Oh non ! Pas encore quelqu'un qui vient me voir.* Il donne un coup de poing sur la table. Le coup est si fort que l'ordinateur se soulève de quelques millimètres. Aussitôt, Claude ramène son poing meurtri contre son torse, le visage crispé par la douleur, et il le caresse de son autre main. Il regarde la porte avec effroi : on cogne toujours.

Cette fois, je ne répondrai pas. Maintenant, c'est la sonnerie qui retentit. Une fois. Deux fois. Trois fois. Claude pousse un cri.

— C'est correct, je réponds !

Il fait de grandes enjambées jusqu'à la porte d'entrée et l'ouvre avec fracas.

— Foutez-moi donc tous la paix ! hurle-t-il jusqu'à en avoir mal à la gorge.

Devant lui, un jeune garçon d'une dizaine d'années en habit de scout le regarde, les yeux ronds.

— Désolé, petit, dit Claude en tentant de reprendre son calme. Je ne voulais pas crier. Je suis très stressé en ce moment et… Je t'ai pris pour quelqu'un d'autre.

— Si je comprends bien, vous ne voulez pas acheter mon calendrier.

— Ton calendrier ?

— Oui, vous savez, on pose ça contre le mur et ça nous donne la date.

— Je sais ce que c'est un calendrier. C'est juste que…

— Pas besoin de me raconter votre vie si vous ne voulez pas l'acheter. Je suis assez vieux pour comprendre.

Et le scout s'en va, sans en dire plus. Claude le regarde partir, étonné. Il hausse les épaules et referme la porte. *Là, plus rien ne va me déranger. Je prends une bonne respiration, je m'assois et je termine ce foutu roman. Et on n'en parle plus.* Il reprend son siège, se masse le cou, se fait craquer les jointures contre la nuque – ce qui lui arrache une grimace de douleur – et se penche sur son clavier.

— Pas de mais. J'ai déjà trop parlé. C'est l'heure de mourir.

À ce moment-là, Lockholm commence à rire. Un rire dément, qu'il ne peut refouler. Marty l'observe, incrédule. Il hésite, n'ose pas tirer. Lockholm cesse de rire.

— Tu ne crois quand même pas que je me suis lancé dans la gueule du loup comme ça. J'ai piégé les lieux. Si je meurs, tu tombes avec moi.

Du menton, il pointe le détonateur qui dépasse de sa chemise.

C'est quoi cette histoire-là ?

Claude relit les dernières lignes à voix haute. *Où est-ce que je suis allé pêcher ça ? Je n'ai jamais voulu qu'il dise ça.* Claude sélectionne cette partie du texte avec son curseur et l'efface. Il s'apprête à continuer à écrire, mais interrompt le mouvement. Il se tourne vers la porte. Il la fixe et attend. *Quelqu'un va arriver. J'en suis sûr.* Il pianote de sa main intacte sur la table. Aucun bruit dans le couloir. Il se lève, va à la porte et l'ouvre. Il regarde dans le couloir, en haut et en bas des marches qui mènent à son appartement. Personne. Il referme la porte en jubilant. Il court jusqu'à sa chaise, s'assoit, se masse le cou, s'apprête à se faire craquer les doigts, mais suspend son geste. *Non, non, non ! C'est trop !* Quelqu'un vient de cogner. Claude tend l'oreille : non, il n'a pas rêvé.

Claude se penche sur son clavier et essaie d'écrire. Impossible, ça cogne sans arrêt, de plus en plus fort. Claude se lève, hors de lui, et va ouvrir la porte.

— Quoi !

Le cri meurt dans sa bouche. En face de lui se tient le docteur Marty tel qu'il l'a toujours imaginé. Le criminel tient un pistolet. Sous la menace de son arme, Marty fait reculer l'écrivain et l'oblige à s'asseoir sur une chaise dans la salle à manger.

— Pourquoi ? ne peut s'empêcher de demander Claude.

L'autre secoue la tête de droite à gauche.

— On a essayé de te faire comprendre, dit-il avec son accent slave tout droit sorti d'un mauvais film de série B. Tu n'as pas voulu arrêter d'écrire cette histoire-là. Ce que tu ne comprends pas, c'est que si tu élimines Lockholm, tu nous élimines nous aussi.

Derrière lui, les sectaires, l'ex-détenu et le scout entrent l'un après l'autre. Claude les regarde, sans comprendre.

— Tu ne les reconnais pas, dit Marty. Tout un auteur, incapable de se rappeler de ses propres personnages secondaires.

Lockholm est assis à la table de la cuisine, installé devant l'ordinateur, et il lit à voix haute les dernières lignes qu'il vient d'écrire.

— Avant de mourir, Claude reconnut les fanatiques religieux tirés de la troisième aventure de la série de Charles Lockholm, le cambrioleur de la septième et le scout kidnappé dans la douzième. Puis, il fixa Marty. Il savait ce qui allait suivre. Le criminel leva son pistolet et tira.

Lockholm sourit, se retourne vers le miroir et se regarde. L'image qui lui est transmise est celle de Claude.

— Tu pensais te débarrasser de moi comme ça ? dit-il en s'adressant au miroir. Tu oublies que c'est moi qui t'ai créé. Moi. Et pas l'inverse. Sans moi, tu ne serais rien. Personne. Qui a lu tes autres livres ? Une poignée d'intellectuels.

Lockholm essaie de replacer sa tignasse hirsute, sans succès. Il rit.

— Je comptais sur toi pour faire connaître mes aventures. On dirait bien que je vais devoir le faire moi-même.

Mais, qu'est-ce que tu fais ? Qu'est-ce que je fais ?

— La ferme, toi ! hurle Lockholm.

Étranger dans son propre corps, Claude se regarde s'asseoir devant l'ordinateur et il efface tout ce qu'il avait écrit dans la journée. Il tire une cigarette d'un paquet qu'il garde toujours sur lui – au cas où –, même s'il ne fume plus depuis deux ans. Et il allume son briquet contre sa cuisse, à la façon caractéristique de Lockholm.

5 : L'Arracheur de rêves (3)

Claude – *non, je m'appelle Marc-Antoine* – fut réveillé par une série de bips. Il ouvrit les yeux et regarda autour de lui, désorienté. La frontière entre ce rêve et la réalité mit un moment à se dissoudre. Il trouva toutefois la source du bruit. Alors qu'il dormait, ses mains s'étaient appuyées sur plusieurs touches de son ordinateur, ce qui avait créé une erreur dans le système.

L'écrivain effaça les lettres ainsi introduites dans son texte et sauvegarda le document. Il ne se rappelait pas tout à fait des détails de son rêve, mais il se souvenait de la guerre entre l'écrivain et son personnage. D'ailleurs, il prit l'idée en note dans le calepin noir qu'il laissait toujours sur son bureau. Peut-être s'en servirait-il dans une prochaine histoire ?

Ensuite, il se leva et se dirigea vers la cuisine. En regardant le cadran du micro-ondes, il vit qu'il était un peu plus de minuit. Il but de l'eau à même le robinet et fit mine de se coucher. Toutefois, quelque chose attira son attention : une faible lueur à l'extérieur. Il s'approcha de la fenêtre et vit quelqu'un en train de fumer une cigarette. Il ne le voyait pas très bien à cause de la noirceur, mais il aurait pu jurer que c'était le Fumeur, aperçu le jour même.

Drôle de type.

Marc-Antoine haussa les sourcils et retourna à sa chambre. Dès qu'il eût déposé la tête sur l'oreiller, il s'endormit. Plus tard, il trouverait ça bizarre. Il avait toujours mis beaucoup de temps avant de trouver le sommeil.

6 : Cœur perdu à Québec

Dans notre société, la laideur est un handicap. Et laide, Manon l'était. Une femme dans le début de la trentaine, sans éclat, sans relief. J'aimerais dire qu'elle passait inaperçue dans la foule, toutefois ça ne refléterait pas la réalité. On la remarquait. Trop même. Les gens essayaient de ne pas le montrer, alors qu'une multitude de signes les trahissaient : un coup d'œil rapide, un frisson de dégoût, un mouvement de recul à son approche...

Ainsi, personne ne l'abordait dans l'autobus qu'elle prenait matin et soir pour se rendre au boulot, ni lorsqu'elle était assise sur un banc de parc à l'heure du midi. De son côté, elle se réfugiait dans les livres. Ceux qui la connaissent partagent tous le souvenir d'une femme de petite taille au corps adipeux, le cheveu terne et sec, et le nez toujours plongé dans un bouquin. Même au bureau, elle utilisait ses moindres pauses à la lecture d'une nouvelle page, d'un nouveau chapitre.

Tous ses livres portaient l'estampille « Harlequin ». À défaut d'avoir sa propre vie amoureuse, elle vivait sa passion par procuration. Elle connut l'amour sous les traits de la plantureuse Nathalie, charmée par le séduisant capitaine Ben. Alors qu'elle endossait l'identité d'Elissa, son ami d'enfance, le beau Kingston, lui fit perdre la tête. Elle voyageait ainsi d'une forêt tropicale à une autre, d'une plage ensoleillée à une ville inconnue.

Les dimanches après-midi, elle faisait sa visite hebdomadaire chez le libraire d'occasion situé à quelques coins de rue de chez elle. C'était là qu'elle s'approvisionnait en romans d'amour, qui finissaient par s'accumuler dans sa garde-robe.

Un jour, elle tomba sur un titre qui l'accrocha : *Cœur perdu à Québec*. Enfin, une aventure qui se passait en terrain connu, dans sa ville ! Elle prit le livre en même temps qu'une demi-douzaine d'autres titres de la collection et ramena le tout chez elle.

Suivant son habitude, elle n'attendit pas d'arriver pour commencer à lire. Dès qu'elle quitta la librairie, elle ouvrit le bouquin et se plongea dans l'aventure tout en marchant. Entre deux phrases, elle relevait la tête pour s'assurer qu'elle maintenait la bonne direction et qu'elle ne risquait pas d'entrer en collision avec quelqu'un. *Cœur perdu à Québec* racontait l'histoire d'Alice, une vieille fille française et heureuse de l'être. Un voyage d'affaires l'amenait dans la vieille Capitale. Suivait une description de la ville par les yeux de l'étrangère. Manon eut du mal à reconnaître SON coin de pays. N'empêche que la magie des mots opérait. Comme à chaque lecture, elle se créait un film dans sa tête.

Elle interrompit sa lecture en arrivant à son appartement. Elle déposa le livre sur la table du salon avant de passer à la cuisine pour se faire à manger. Elle fit cuire un reste de repas dans le four à micro-ondes et engouffra le tout. Elle laissa son assiette dans l'évier et se rendit au salon, où elle se remit à la lecture.

Pendant son séjour, Alice rencontra Jean, un mystérieux Québécois, aussi séduisant que charmant. Sa description fit saliver Manon. L'homme invita Alice dans un restaurant avant de lui faire découvrir les charmes de la ville.

Manon lisait fiévreusement, attendant la scène de baiser habituelle que par expérience elle sentait approcher. Cela se passa sur la terrasse Dufferin, à l'ombre du Château Frontenac.

Manon poussa un long soupir. Elle ferma les yeux en portant le livre contre sa poitrine et s'imagina, les cheveux au vent, la taille enserrée entre les bras puissants de Jean. Le regard fauve de l'homme plongé dans le sien. Les lèvres de Jean qui cherchent les siennes. Les langues qui s'entrecroisent et se mélangent pour n'en former qu'une.

Elle ouvrit les yeux et secoua la tête.

Elle jeta un coup d'œil à sa montre. Presque 21 heures. Elle plia la page où elle s'était arrêtée et posa le livre sur la table du salon. Ensuite, elle se brossa les dents, prit sa douche et enfila sa chemise de nuit. Elle jeta un dernier regard au roman et jongla avec l'idée de lire un autre chapitre. Elle repoussa le projet. Elle devait être raisonnable. Comme toujours. Elle ferma la lumière et se coucha.

Le lendemain, elle prit l'autobus pour se rendre au ministère du Revenu, où elle travaillait comme réceptionniste. Les cinquante minutes du trajet passèrent comme un souffle, alors qu'elle suivait les périples amoureux d'Alice et Jean : souper à la chandelle dans l'immense appartement de Jean, situé en plein cœur du quartier Montcalm ; repas au restaurant tournant du Concorde ; marche dans la rue Saint-Jean ; après-midi à flâner sur les plaines d'Abraham main dans la main et pique-nique au coucher du soleil.

Il ne lui restait plus qu'une vingtaine de pages à lire lorsque Manon descendit à son arrêt – le dernier de la ligne. Elle posa le livre sur le coin de son bureau. Elle lui jetait sans cesse un regard alors qu'elle répondait au téléphone. À chaque appel, elle s'imaginait que c'était Jean qui venait l'enlever à l'ennui de son quotidien.

À la première pause-café de la journée, elle replongea dans le livre. Alice allait partir sous peu. Jean joua le tout pour le tout afin de la garder auprès de lui. Il lui dit qu'elle pouvait quitter son emploi puisque ses finances lui permettaient de subvenir à leurs besoins à tous deux.

Plus que dix pages. Ses collègues retournèrent à leurs occupations ; toutefois, Manon ne voulait pas décrocher de son récit. En fait, elle ne le pouvait pas.

Dernière scène : Alice attendait à l'aéroport. Le contrôleur venait d'appeler les voyageurs pour le vol à destination de Paris. Alors qu'elle prenait sa valise pour s'enfuir au loin, Jean la rattrapa au pas de course. Il la pria de ne pas partir. Elle lui expliqua qu'elle ne pouvait vivre avec lui. Il lui laissa son numéro de téléphone. Alice le mit dans sa poche et s'en alla, abandonnant Jean derrière elle.

Manon relut trois fois les dernières lignes, à la recherche d'un indice qui montrait qu'Alice comptait revenir. Elle ne trouva rien. Tout portait à croire que la Française allait bien abandonner son bel amant québécois.

Folle de rage, Manon lança le roman au milieu de la pièce. Des collègues se retournèrent vers elle, surpris. Son visage prit une teinte rougeâtre. Tête basse, elle se leva pour prendre son livre. Elle revint à son bureau à petits pas rapides, les mouvements entravés par sa longue jupe. Elle sentait les regards posés sur elle. Pour se donner une contenance, elle fit mine de travailler. Elle ne put toutefois pas s'enlever de la tête la déception causée par la fin abrupte du roman. Si elle rencontrait un homme comme Jean, elle serait prête à tout abandonner pour passer le reste de ses jours avec lui. Pour la première fois de sa vie, elle détesta un personnage de roman. Alice.

Cet après-midi-là, elle travailla sans entrain, incapable de fixer son esprit sur les tâches qu'elle accomplissait. Elle se mélangea deux fois entre les boutons lorsqu'elle voulut mettre un appel en garde. Résultat : elle raccrocha au nez de son interlocuteur. Elle se trompa même à propos du prénom de son patron, qu'elle appela Jean. Pour retrouver sa concentration, Manon cacha le livre dans un tiroir de son bureau. Elle évita ainsi de le regarder à tout moment.

C'est avec soulagement qu'elle quitta son poste à 16 heures 30. Depuis plus d'une heure, elle regardait sa montre toutes les cinq minutes. Elle se dirigea vers l'arrêt d'autobus, l'esprit perdu dans un aéroport où un avion allait ramener une Française chez elle. Lorsque l'autobus arriva, elle prit place près du chauffeur, selon son habitude. Les secousses s'y faisaient moins sentir qu'à l'arrière. Elle fouilla dans son sac à main et en sortit un autre Harlequin : *Amour dans les mers du Sud.* Elle commença à en lire quelques lignes, mais elle ne pouvait s'enlever de la tête l'image de Jean laissé seul à l'aéroport, la mine défaite. Elle relut quatre fois le même passage avant de se décider à ranger le livre pour reprendre *Cœur perdu à Québec*. Pas de doute, Jean représentait son idéal masculin. Si seulement il en existait un comme lui…

En entrant chez elle, elle posa son manteau sur une chaise et se laissa choir sur le divan. Elle n'avait pas du tout envie de cuisiner. Pas pour elle seule. Elle feuilleta son roman pendant une demi-heure. Puis, une idée folle s'imposa à son esprit : et si elle appelait Jean ?

Elle vérifia le numéro indiqué à la fin du livre. Précaution inutile, car elle se souvenait parfaitement de ces sept chiffres. Ensuite, elle prit son téléphone et appela Jean. La sonnerie se fit entendre une fois, deux fois. Au troisième coup, une voix d'homme répondit, à la fois douce et virile.

— Oui, allo !

Manon raccrocha aussitôt.

L'instant suivant, son téléphone à elle sonnait. Elle le regarda avec étonnement. Puis, elle avança la main. Lentement. Comme si elle craignait une morsure. Elle répondit d'une voix incertaine.

— Oui ?

— Bonjour, madame, vous venez à l'instant d'appeler chez moi.

— Non ! euh... oui. J'ai fait un faux numéro. Je voulais appeler un ami.

— Et comment s'appelle cet ami ?

— Jean.

— C'est mon nom également, mais je ne crois pas avoir la chance d'être votre ami. Je n'oublierais pas une voix aussi douce.

Manon rougit vivement.

— Vous faites quelque chose ce soir ? demanda Jean.

— C'est que… oui.

— Dommage. Demain soir, peut-être ? Nous pourrions aller prendre un verre dans un petit bistro intime que je connais, près de la Grande Allée.

— Je ne sais pas.

— Allez, faites-moi plaisir.

— Vous ne m'avez jamais vue. Je ne suis pas exactement un top-modèle.

— Qui a dit que je cherchais une femme parfaite ? Je veux seulement vous connaître. Votre voix me charme. Et je suis très sensible à cela.

— Mais… Je ne pense pas être votre genre.

— Laissez-moi donc en juger par moi-même. Allez, dites-moi votre adresse, je passe vous chercher à 20 heures demain.

Incapable d'inventer une excuse, Manon lui donna son adresse le plus rapidement possible et raccrocha. Une partie d'elle espérait que l'homme n'ait pu comprendre correctement le nom de la rue. Cependant, une voix plus forte lui répétait que c'était peut-être sa chance de trouver l'AMOUR. Pas celui avec un grand « A», non, mais l'AMOUR en lettres majuscules.

Cette nuit-là, elle dormit très peu. Elle se perdait dans ses pensées, imaginant une rencontre fabuleuse avec un être doux et attentionné. Mais un doute couvait sous ce rêve : et s'il la rejetait ?

Elle travailla machinalement toute la journée. Pourtant, son cerveau fonctionnait à grande vitesse. Elle imaginait des dizaines de scénarios pour sa rencontre. Visualisait les moindres détails. En entrant chez elle ce soir-là, elle se dépêcha de prendre ses messages pour s'assurer que le beau Jean n'avait pas annulé leur rendez-vous. Pour une fois, elle trouva un réconfort dans le mutisme de son répondeur. Elle prit un long bain, lava chaque centimètre de son corps. Elle se parfuma et se dirigea vers le garde-robe de sa chambre. Elle passa en revue tous ses vêtements et dut se rendre à l'évidence : elle ne possédait pas de tenue appropriée pour prendre un verre avec un homme. Elle ragea intérieurement contre les magasins qui fermaient à 17 heures en semaine. Enfin, elle enfila une robe bleue portée une seule fois lors du mariage de sa cousine.

Elle s'observa dans le miroir et fit une moue dégoûtée. Elle était vraiment énorme. La robe, trop ajustée, mettait en évidence chacun de ses bourrelets. Même quand elle retenait sa respiration, les replis de son corps faisaient d'elle une obèse. Elle se laissa tomber sur le lit et pleura. Pourquoi avait-elle accepté ce rendez-vous ? Dans les livres, tout paraissait tellement plus simple !

Elle enleva la robe et mit un pantalon et un chandail noirs. Puis, elle enfila un veston sombre. Elle se regarda dans le grand miroir de sa chambre. Ce n'était pas parfait, mais au moins elle semblait moins grosse. Ensuite, elle tenta de se maquiller. Elle n'avait pas l'habitude de le faire, et les traits malhabiles du crayon le soulignaient. Insatisfaite du résultat, elle effaça tout cela avant d'avoir l'air d'une sorcière. Elle appliqua un peu de rouge sur ses joues et s'installa au salon en attendant son rendez-vous.

Elle devait encore patienter une heure. Les fesses posées sur le bord du divan, elle regardait distraitement la télévision en reportant sans cesse son attention vers sa montre.

Un peu avant 19 heures 45, quelqu'un sonna. Manon sursauta. Elle bondit sur ses pieds et se lança au pas de course vers la porte, faillit trébucher, puis ouvrit, encore essoufflée.

Devant elle se tenait Jean. Grand, les muscles d'un tigre, le sourire étincelant, le regard viril, les mains puissantes, la posture fière ; Manon aurait pu enfiler longtemps les clichés pour décrire cet homme.

— Excusez-moi d'arriver en avance, dit Jean en lui tendant le bouquet de fleurs qu'il cachait jusque-là derrière son dos. Ça faisait une heure que j'attendais en face de votre appartement, et je ne pouvais patienter plus longtemps avant de vous rencontrer.

Manon ne répondit pas. Jean dut se méprendre sur son silence, car il recula et dit, à la façon d'un enfant pris en faute :

— J'espère que je ne vous déplais pas…

Manon voulut le rassurer, lui dire de ne pas s'inquiéter à ce sujet. Cependant, les mots cherchaient à sortir de sa bouche tous en même temps, et elle ne réussit qu'à formuler un propos incohérent.

Jean regarda Manon, une lueur d'amusement dans les yeux. La femme rougit, puis reprit plus lentement :

— Pas du tout. Au contraire, je te trouve très élégant. Et toi ? Pas trop déçu ?

Un grand sourire se dessina sur les lèvres charnues de l'homme. Manon remarqua ses joues viriles sur lesquelles se dressait une barbe de deux jours.

— Je sais vivre. Si je ne t'avais pas trouvée mignonne, je ne t'aurais pas demandé ce que tu pensais de moi.

Manon rougit de plus belle, autant pour le compliment que pour le « tu » que Jean avait substitué au « vous ». Elle trouvait le vouvoiement trop froid dans ce type de rencontre. Une petite voix dans sa tête lui disait de ne pas y croire, que l'homme devait se moquer d'elle. Cependant, rien dans l'attitude de Jean ne donnait de crédibilité à cet argument. Au contraire, son sourire semblait sincère.

Ils quittèrent l'appartement ensemble. Manon chercha la voiture dans la rue. Elle s'attendait à une BMW ou à une voiture de luxe, mais elle ne vit rien du genre. Jean la mena plutôt vers une moto japonaise. Manon se figea.

— J'espère que tu n'as pas peur en moto, dit Jean.

— Un peu, oui.

Jean fit une moue de déception.

— Mais je peux essayer, reprit aussitôt Manon. Si tu me promets de ne pas aller trop vite.

Jean lui sourit. Ah ! Ce sourire. Ce qu'elle aurait donné pour le voir dans son lit tous les matins ! Elle baissa la tête, honteuse à cette pensée. Elle prit place sur la moto, derrière Jean.

— Mets tes mains autour de ma taille, dit Jean. Et ne te gêne pas pour te coller contre moi.

Il ponctua sa phrase d'un clin d'œil. Manon, la gorge nouée, se colla sur lui autant qu'elle l'osa, posant même son menton contre le dos de son conducteur. Jean démarra et commença à rouler. Lentement. Sans mouvements brusques.

— Tu n'as pas trop peur ? demanda-t-il.

« Peur ? C'est le dernier de mes soucis en ce moment », se dit Manon, qui se contenta de répondre que tout allait bien.

Jean accéléra un peu jusqu'à ce qu'il sente le corps de Manon se tendre contre le sien. Alors, il décéléra.

Il l'amena dans un petit bistro à l'ambiance feutrée. Il commanda une bouteille de vin rouge, et ils discutèrent de tout et de rien. En fait, il mena la conversation. Il lui parla de ses voyages, de ses intérêts pour la musique classique, l'opéra, le cinéma de répertoire, la poésie... Elle absorbait l'information comme on mange un mets fin. Lorsqu'il la questionnait, elle répondait par des phrases courtes, sans se compromettre. En fait, elle s'intéressait surtout à son regard. Il l'observait avec désir, sinon avec amour. C'était mieux que dans ses rêves, mieux que ce qu'elle imaginait dans les livres. C'était sa main contre la sienne, le son de sa voix. C'était la passion.

Les semaines suivantes passèrent à une vitesse folle, contrastant avec le rythme lent de l'habituelle vie monotone de Manon. Soirée au théâtre, marche dans les rues du Vieux-Québec, film dans le bel appartement de Jean, cinéma en après-midi et longue soirée à bavarder autour d'une bouteille de vin ; autant de choses que Manon n'avait vécues que dans sa tête.

Lorsqu'elle lui présenta sa famille, il se montra charmant, comme d'habitude. En fait, il fut parfait. Tout, depuis le début de leur relation, était parfait.

Puis, un jour, elle trouva le courage de lui faire la proposition qui l'obsédait depuis leur rencontre. Ils arrivaient en face de chez Manon après une journée en plein air. Ils s'embrassèrent. « Ce qu'il embrasse bien », ne pouvait s'empêcher de penser la jeune femme en s'arrachant à son étreinte. Elle prit une grande respiration et plongea.

— Veux-tu passer la nuit avec moi ?

Jean prit un air grave. Un air que Manon ne lui connaissait pas.

— Tu es sûre ? demanda-t-il. Tu n'as pas peur que tout ça aille trop vite ?

— Voyons, ça fait presque deux mois qu'on se connaît. Je crois qu'il est temps de…

Elle ne termina pas sa phrase. Les lèvres de Jean se collèrent aux siennes pour absorber la réponse.

Elle le guida jusqu'à son appartement, sans un mot. Elle craignait qu'une parole puisse briser la magie du moment. Elle avait connu quelques aventures éphémères dans sa vie, mais, pour la première fois, elle allait coucher avec un homme qu'elle aimait… et qui partageait ses sentiments ! Son cœur battait à tout rompre.

Elle ferma la porte derrière lui et l'embrassa avec passion tout en le menant vers sa chambre. Manon avait tout préparé pour que ce soit parfait : huile à massage et éclairage à la bougie. Elle portait même les sous-vêtements qu'elle venait de se procurer dans une boutique érotique. Depuis le temps qu'elle rêvait des mains de Jean sur ses seins, de sa langue sur son sexe !

Elle le poussa sur le lit et se déshabilla lentement sous ses yeux. Pour la première fois, elle n'éprouvait aucune honte à montrer son corps à un homme. Ensuite, elle entreprit de dévêtir Jean à son tour. Il tenta de la repousser, sans trop de conviction. Elle enleva sa chemise, découvrit son torse puissant, presque dépourvu de poils. Elle enleva le pantalon de Jean. Regarda son sous-vêtement avec gourmandise. Elle se pencha pour l'enlever. Jean lui prit la main pour interrompre le mouvement.

— Avant, il y a quelque chose qu'il faut que je te dise, commença-t-il d'un air honteux.

Manon resta figée, imaginant le pire. En quelques secondes, son cerveau fit l'inventaire des pires scénarios : il ne la désirait pas, il avait le sida, il était engagé, il ne l'aimait pas, il..., il.., il... Elle se dégagea de son étreinte et s'assit à côté de lui. Elle colla son menton contre l'épaule de Jean et lui murmura à l'oreille :

— Qu'est-ce qu'il y a, mon amour ? Tu n'en as pas envie ?

— Ce n'est pas vraiment cela. C'est juste que…

Il baissa son sous-vêtement. Manon regarda avec attention et poussa un cri de surprise.

Il n'avait pas de sexe.

Manon sortit du lit, paniquée, et se réfugia dans le salon. Jean la rejoignit une minute plus tard, complètement rhabillé.

— Est-ce si important ? demanda-t-il d'une voix atone.

Manon releva la tête, les yeux pleins de larmes.

— Depuis quand…? demanda-t-elle, sans trouver les mots pour conclure sa phrase.

— Je suis fait comme ça.

— Mais ce n'est pas normal. T'es un mutant ou quoi ?

— Non, je suis moi. Le même homme qu'hier. Celui qui t'aime.

— Laisse-moi réfléchir, s'il te plaît. C'est trop pour moi.

— Je comprends, dit-il. Je retourne chez moi. Je te rappelle demain. Prends le temps de réfléchir. Je t'aime.

Manon ne fit pas un geste pour lui bloquer le chemin. Elle se retrouva seule, dans le noir, assise sur le divan. Une petite voix ironique en elle lui susurra : « Tu sais maintenant pourquoi on ne voit jamais de scènes de sexe dans la plupart des romans Harlequin ! »

Le sommeil la trouva sur le divan sans qu'elle ne s'en aperçoive. Elle se réveilla courbaturée le lendemain.

Sur le pas de sa porte, elle trouva une carte de Jean. Juste trois mots : « Je t'aime ». Manon sentit son cœur se serrer, puis elle se rappela l'entre-jambe lisse. Elle grimaça de dégoût et partit prendre son autobus. Le trajet fut long. Elle n'osa pas lire un nouveau roman et laissa plutôt vagabonder ses pensées.

À son arrivée au Ministère, une douzaine de roses l'attendait sur son bureau. Deux collègues qui ne lui adressaient presque jamais la parole lui firent remarquer comme elles étaient belles. Manon joua l'indifférente. Pourtant, le geste la toucha.

Toutes les heures, un livreur lui amenait de nouveaux présents. Quand ce n'était pas des fleurs – lilas, jonquilles, marguerites –, elle recevait des chocolats. Un champ de fleurs recouvrit bientôt son bureau. Plus le temps passait, moins elle appré-ciait les cadeaux. Elle en vint même à redouter le passage du livreur. En fin d'avant-midi, Jean l'ap-pela.

— Je t'avais demandé de me laisser du temps pour réfléchir, lui dit-elle.

— Je sais, mais je ne peux plus attendre. Je refuse de te laisser partir sans tout faire pour te garder.

— Tu ne trouves pas que tu en fais déjà trop ?

— Pour toi, je n'en ferai jamais assez !

— Jean, laisse-moi du temps, s'il te plaît.

Elle raccrocha.

Manon voulut se concentrer sur leurs beaux moments, mais elle revoyait seulement son entre-jambe. Elle doutait de pouvoir passer par-dessus cela, d'autant plus que le caractère obsessif de Jean, depuis la veille, l'inquiétait. Il la rappela un peu plus tard. Elle lui répéta les mêmes phrases que la première fois avant de raccrocher. Il la rappela trois autres fois. À chaque appel, le ton de la jeune femme montait. Elle réussit finalement à lui arracher la promesse de ne plus la déranger au travail.

Hors d'elle, Manon jeta les fleurs qui envahissaient son espace de travail. Sur l'heure du midi, elle mangea à la cafétéria. Elle craignait de voir Jean en allant à son parc habituel.

Le soir, en quittant le bureau, Manon remarqua Jean qui l'attendait sur sa moto. Elle fit mine de l'ignorer et s'engouffra dans l'autobus qui venait d'arriver. Elle prit un siège à côté d'un vieil homme. Au bout d'un moment, le vieillard lui fit remarquer le motocycliste qui roulait à côté de l'autobus en faisant de grands signes avec les bras.

— Madame, je crois qu'il veut attirer votre attention, dit l'homme.

— Vous devez vous tromper.

Le trajet se continua en silence. Manon faisait tout pour ignorer Jean, qui criait son nom à chaque arrêt. Derrière lui, les automobilistes donnaient un concert de klaxons pour le presser d'avancer.

— Vous ne vous appelez pas Manon ? demanda le vieillard.

Elle lui décocha un regard si froid que l'homme jugea préférable de changer de banc. La place à côté de Manon resta libre jusqu'à ce qu'elle descende en face de chez elle.

Elle courut jusqu'à son immeuble, ne laissant pas le temps à Jean de l'intercepter dans la rue. Elle se figea sur le pas de la porte. Une véritable forêt florale emplissait le hall. Elle se fraya un chemin à travers la végétation pour atteindre son appartement. Des cœurs de toutes les dimensions recouvraient sa porte.

— Attends-moi ! lui cria Jean en apparaissant dans le hall. Il faut qu'on discute. Ça ne peut pas finir comme ça. Je t'aime !

Manon entra dans son appartement et referma la porte derrière elle. Elle prit même la précaution de mettre le loquet. Jean tambourina contre sa porte, mais elle resta sourde à ses appels.

Elle prit les messages sur son répondeur. Soixante-dix-sept nouveaux messages. Tous de Jean. Elle écouta les premiers, mais se lassa très vite de ses mots d'amour, de ses promesses romantiques et de ses poèmes. Elle effaça les messages suivants sans même leur porter attention. Jean frappait toujours à sa porte. Elle l'entendait qui la suppliait de le laisser entrer.

D'autres voix se joignirent à la sienne. Une dispute. Les voisins se plaignaient du vacarme et des fleurs qui les empêchaient de circuler. Ça piochait de plus en plus sur la porte de l'appartement.

Manon poussa un cri de rage et ouvrit.

— Toi, tu rentres et tu la fermes, dit-elle en pointant Jean du doigt.

Les voisins la regardèrent, intrigués. Pour la plupart, ils entendaient parler leur discrète voisine pour la première fois.

— Et vous autres, rentrez chez vous, le spectacle est terminé, leur dit-elle.

Jean entra dans l'appartement, la tête basse sur un sourire mi-repentant, mi-satisfait. Dès que Manon eût refermé la porte, il tenta de s'expliquer :

— Manon, je t'aime. Tu ne peux pas me laisser comme ça ! Je me sens mourir sans toi.

— Ah ! la ferme. Peux-tu me laisser respirer une seconde ?

— Oui, mon amour. Si tu veux, je peux te faire couler un bain. Ou te faire un petit repas délicieux. Ou…

— T'as rien compris, toi.

— Mon amour, dis-moi ce que tu désires, et je vais le faire.

— Va-t'en d'ici.

Les yeux de Jean se remplirent de larmes.

— Tout, mais pas ça. Sans toi, je ne suis rien.

Jean se lança vers Manon et tenta de la prendre dans ses bras, de l'embrasser. Elle le repoussa vivement, et il perdit pied. En tombant, il se cogna la tête sur le coin de la table. Il se releva aussitôt en massant sa tempe et il s'approcha de Manon. Il se faisait de plus en plus insistant. Il la prit dans ses bras.

Il la serra fort, très fort. Manon se sentait menacée. Elle criait à Jean de la lâcher, mais la prise se faisait de plus en plus ferme. Elle chercha des doigts quelque chose pour le repousser. N'importe quoi pour qu'il arrête. Elle referma la main sur une paire de ciseaux.

— Lâche-moi, ou je te frappe, dit-elle dans un râle, incapable de respirer.

Jean ne relâcha pas son étreinte. Manon rassembla toutes ses forces et frappa Jean dans le dos.

La lame perça la chemise pour s'enfoncer dans la chair, presque sans rencontrer de résistance. Le ciseau remonta en déchirant la peau de l'homme, comme s'il s'agissait d'une feuille de papier. Il poussa une plainte douloureuse. De sa blessure s'échappèrent des feuilles froissées. Aucune trace de sang, juste du papier.

Bientôt, le corps de Jean disparut pour laisser place à un amalgame de feuilles qui formaient vaguement un contour humain.

Manon se pencha pour voir de quoi il s'agissait. Elle prit une feuille dans ses mains et la défroissa. Elle poussa un petit cri en la reconnaissant : il s'agissait de la page d'un roman Harlequin lu une semaine plus tôt.

Tous les romans lus par Manon avaient servi à façonner le corps de Jean et ils s'écoulaient, page après page, du corps sans vie.

7 : L'Arracheur de rêves (4)

Pendant un moment de flottement entre le rêve et l'éveil, Marc-Antoine savoura une dernière fois les sensations d'un corps de femme. Puis, il se réveilla, excité. Changer ainsi de sexe, ne serait-ce que l'instant d'un songe, provoqua chez lui une foule d'idées érotiques qui effaça l'angoisse ressentie lors de la transformation de Jean. Avant même d'ouvrir les yeux, Marc-Antoine sentit sa main se refermer autour de son sexe durci. Il imagina la bouche gourmande de Manon – trouvant même quelques qualités au visage ingrat de la femme –, alors qu'il amorçait un mouvement de va-et-vient. Par le biais de son imagination, il était à la fois femme et homme. Il accéléra la cadence. Son souffle devint haletant. Son autre main alla sur son torse, déçue de ne pas y trouver de seins. Puis, il jouit et sentit sa semence s'étaler sur son ventre.

Il ouvrit les yeux, chercha la boîte de mouchoirs en papier qui traînait sur le plancher et s'essuya. L'instant d'après, il alla sous la douche.

Il était presque midi. Marc-Antoine avait encore dormi plus qu'à son habitude. Pourtant, il ressentait les effets d'une profonde fatigue. *J'ai probablement trop dormi*, se dit-il, sans vraiment y prêter attention. Il repensa à l'expérience de son rêve en souriant. Décidément, sa nouvelle demeure avait une influence sur lui, qui ne se souvenait habituellement pas de ses rêves. Là, il vivait des histoires complètes. Ce qui le surprenait le plus, c'était la consistance des personnages. Cette Manon, il partageait son désarroi. Habituellement, dans un rêve, il était... lui. Confusément, Marc-Antoine souhaita d'autres rêves du même genre : ils pourraient nourrir son écriture. D'ailleurs, il nota certaines impressions de son rêve dans son petit carnet noir.

Ensuite, il fallait manger. Les armoires du logement étaient toujours aussi obstinément vides. Malgré la fatigue, il s'efforça de sortir, ne serait-ce que pour acheter l'essentiel. Il se rendit à une épicerie de quartier dans la rue Saint-Jean, à moins de cinq minutes de chez lui. Il trouva dans les allées mal entretenues tout ce qu'il lui fallait pour survivre durant les prochains jours. Il ne se sentait pas le courage de faire une liste et d'acheter les denrées nécessaires pour les deux prochaines semaines, comme le faisait sa mère. Ce serait pour une autre fois.

À son retour, il se sentait déjà plus en forme, comme si l'air chaud de l'été lui avait redonné de l'énergie. Il avala un sandwich en vitesse et commença à ranger certains de ses livres dans les bibliothèques. En voyant les boîtes qui traînaient partout, il se félicita d'avoir laissé une partie de sa collection chez sa mère. Ensuite, il remplaça la télévision désuète de l'ancienne locataire par sa Panasonic 32 pouces achetée à son retour de Colombie. L'appareil prenait toute la place sur le meuble de rangement. Au moins, cela tenait. Ensuite, Marc-Antoine installa son lecteur de DVD et rangea sa collection de films sans se soucier du classement.

Il sortit ensuite marcher un peu dans la cour avant d'écrire. Souvent, lorsqu'une histoire bloquait, il remettait les morceaux du puzzle en place en bougeant. Il lui arrivait aussi, comme en ce moment, de se mettre en condition avant d'aller devant l'ordinateur.

Le Fumeur était assis sur la galerie, tirant sur sa cigarette comme si sa vie en dépendait. En passant près de lui, Marc-Antoine le salua de la main et lui offrit un sourire amical. L'autre ne répondit que par une onomatopée vaguement sympathique, sans même le regarder. Marc-Antoine fit le tour des lieux, remarqua les bancs de pierre qu'il ne pouvait voir de son balcon puisqu'ils étaient cachés à l'ombre d'un saule. Il s'y assit un moment en tournant l'intrigue de son roman dans tous les sens. Il hésitait au sujet du mode de narration, des points de vue et du temps des verbes. Il marcha encore un peu avant de monter les marches pour revenir sur le balcon. Le chemin qui menait à son logement l'obligeait à passer en face de celui du propriétaire. Il faillit heurter Gustave, qui sortait au même moment.

— Ah ! vous êtes là, s'exclama le vieil homme.

Un instant, Marc-Antoine se revit enfant lorsqu'il devait rendre des comptes à ses parents à propos de ses déplacements.

— Oui, j'ai marché un peu dans la cour.

— Ils sont venus pour poser la ligne téléphonique, mais comme vous n'étiez pas là…

— Merde ! J'avais oublié qu'ils venaient aujourd'hui, dit Marc-Antoine en se précipitant vers son logement.

— Pas la peine de vous presser, entendit-il sur le pas de la porte. Ils sont déjà partis. Si j'avais su que vous étiez là...

Le vieil homme conclut sa phrase en haussant les épaules en signe d'impuissance. Ne trouvant rien à dire, Marc-Antoine entra chez lui. Il décida quand même de descendre les marches pour voir si les employés de la compagnie de téléphone ne seraient pas dans le coin.

Il ne vit aucune trace de leur passage, mais il trouva un colis sur le pas de sa porte. La boîte ne lui était pas adressée. La destinataire devait être sa voisine du dessus, une certaine France Bolduc. Le facteur s'était donc trompé de porte – avec les quatre entrées collées les unes sur les autres, ça devait être courant. Marc-Antoine décida de lui remettre le colis en mains propres. Il sortit dans la rue, fit quelques centimètres sur sa gauche jusqu'à la porte du logement de France Bolduc et appuya sur la sonnette. Il balança son poids d'un pied à l'autre pendant un moment avant de frapper fermement contre la porte. Ne recevant pas de réponse, il décida de l'ouvrir et de laisser le paquet au bas des marches menant au logement de la femme, comme l'avait fait le facteur pour lui.

Il allait repartir, quand il entendit une petite voix aiguë dire :

— Montez. Je suis en haut. Montez.

Un peu mal à l'aise, il monta les marches. Il fut frappé par l'odeur d'humidité des lieux. *Elle ne doit pas ouvrir les fenêtres souvent*, pensa le jeune homme. Lorsqu'il atteignit le haut des marches, il vit une femme obèse, dans la mi-trentaine, portant une robe de chambre d'un rose délavé et à demi couchée sur un divan. Marc-Antoine supposa qu'elle écoutait *Les Feux de l'amour*, d'après la chanson thème qu'il entendait. Il n'avait pas une bonne vision, aussi prit-il un certain temps avant de bien voir les traits de la femme dans la semi-pénombre. Ses yeux bouffis se perdaient dans les replis de son visage adipeux. De plus, elle présentait de drôles de plaques rougeâtres sur les bras. Elle avait les cheveux secs et emmêlés. Elle mit un moment avant de regarder son visiteur. Sa tête pivota avec lenteur, et son regard vitreux se posa sur Marc-Antoine après bien des hésitations.

Pressé d'en finir au plus vite, celui-ci montra la boîte à la femme.

— Vous avez reçu un colis, dit-il.

Il déposa la boîte sur le sol et s'apprêtait à repartir lorsqu'elle dit, d'une voix pâteuse :

— Pouvez-vous me l'ouvrir, s'il vous plaît ?

Marc-Antoine aurait voulu refuser, l'envoyer balader ; il fit plutôt un sourire poli.

— Bien sûr.

Il parvint presque à montrer de l'enthousiasme.

Il n'était pas facile d'ouvrir le paquet, fermement entouré de quelques longueurs de papier adhésif. Toutefois, le jeune homme n'osait demander une paire de ciseaux. Sous l'œil atone de sa voisine, il se débattit avec le paquet. Il réussit à en éventrer un côté avec ses ongles. Une cascade de livres en jaillit. Avant même de voir la première couverture rouge criard, Marc-Antoine sut qu'il s'agissait de romans Harlequin. D'ailleurs, cette femme ressemblait à Manon, tout en étant différente. Elle n'avait pas le même visage ni le même corps, mais un air de famille l'apparentait à Manon comme à une sœur.

Encore sous le choc de ce constat, le jeune homme lui donna ses livres et il regagna son logement sans plus de civilité. Il pensa un moment à sa voisine. Avec dégoût.

Il n'écrivit plus ce jour-là, regardant plutôt deux films. Plus tard, il allait en rire. France et Manon n'avaient rien en commun. Le rapprochement entre les deux femmes venait des romans à l'eau de rose. Rien de plus.

Pourtant, l'image de France finit par se substituer à celle de Manon lorsqu'il repensait à son rêve.

En fin de soirée, il s'installa pour écrire. À mesure qu'il tapait de nouvelles phrases, il s'éloigna du plan échafaudé dans l'après-midi. En fait, il avait de nouvelles idées et se sentait particulièrement en verve. Alors qu'il composait, il avait l'impression d'écrire certains des meilleurs passages de sa vie.

8 : Chambre 308

En cet après-midi pluvieux d'octobre, l'ambiance était plutôt tranquille au Château Frontenac. Il était environ deux heures et Luc, le réceptionniste, lisait distraitement le journal lorsqu'il fut interrompu par l'arrivée d'une femme. Il posa alors son journal et afficha son sourire professionnel tout en observant la nouvelle venue. Détrempée, elle ne portait qu'un sac de voyage jeté lâchement sur l'épaule. De belle apparence, plutôt petite, les cheveux brun roux et mi-longs, de beaux yeux noisette, le teint rosé, elle semblait avoir tout au plus trente ans. Elle s'approcha du comptoir et se présenta dans un français correct, quoique teinté d'un fort accent américain.

— Salut, je suis Elizabeth Tucker. J'ai réservé la chambre 308.

— Oui, madame, malheureusement, comme nous sommes hors de la saison touristique, nous en avons profité pour faire des réparations dans certaines chambres, dont la chambre 308. Mais ne vous en faites pas, nous allons vous fournir une autre chambre, ça va ?

— *NO!* Non, ça ne va pas. J'ai demandé la chambre 308 pour le 28 octobre *and I want this room, understand* ?

— Je comprends très bien, madame, que vous avez une préférence pour cette chambre, mais nous sommes dans l'impossibilité de vous l'offrir. Toutefois, nous sommes disposés à vous offrir une chambre d'une qualité supérieure pour le même prix, une suite, si vous le désirez.

— Non, non et non. J'ai réservé ma chambre depuis près d'un an et j'ai demandé expressément la chambre 308. Je veux celle-là et aucune autre.

— Eh bien ! madame, ce ne sera pas si simple que cela... Attendez, je vais aller voir avec mon patron ce que je peux faire.

La jeune femme resta plantée devant le comptoir jusqu'au retour du réceptionniste. Elle ne posa même pas son sac sur le sol. Elle avait le rouge aux joues et semblait prête à exploser d'un instant à l'autre.

— Madame, c'est qu'il y a eu de la peinture, dernièrement, dans la chambre et...

— *No problems !*

— Oui, mais vous risquez d'être indisposée par l'odeur.

— *No problems !*

— Bon, si c'est ce que vous désirez, voici la clef, mais je vous aurai prévenue. Si jamais vous changez d'idée au cours de la journée, n'hésitez pas à venir me voir et nous vous trouverons une autre chambre.

Elizabeth n'écouta même pas la dernière recommandation et se dirigea vers l'escalier pour monter à sa chambre. Le même escalier qu'elle avait monté cinq ans plus tôt avec son mari pour leur nuit de noces. Elle se souvenait du chemin comme si elle l'empruntait tous les jours. Lorsqu'elle arriva devant la porte de la chambre, elle eut un pincement au cœur : cela lui faisait drôle d'être là sans son homme, sans Mike. Elle s'attendait presque à le voir sur le lit, mais c'était impossible ; il ne devait pas être là avant six heures. Elle avait donc le temps de se préparer avant son arrivée.

Elle s'assit sur le lit pour reprendre son souffle. Un regard circulaire lui apprit que la chambre n'avait pas changé, sinon par la couleur un peu plus foncée de la peinture. Bien sûr, l'odeur lui tombait sur le cœur, mais elle se devait de l'attendre. C'était ici qu'il viendrait. Elle se secoua un peu pour sortir de sa torpeur et décida d'enlever ses vêtements trempés et de prendre une bonne douche. Après avoir complété sa toilette, elle mit les sous-vêtements frivoles qui lui plaisaient tant. Elle pensa ensuite à mettre une robe par-dessus les jarretelles noires, la petite culotte de dentelle rouge et le soutien-gorge assorti. Mais à quoi bon s'encombrer de vêtements supplémentaires ? Elle se coucha donc dans le lit en regardant distraitement la télévision. À mesure que le temps passait, son excitation grandissait. Elle avait les jambes molles.

Alors que le moment approchait, elle se regarda dans le miroir afin de vérifier si tout était parfait. Une fois cette précaution prise, elle sortit quelques condoms de son sac à main ainsi que cinq billets de 100 $. Ensuite, elle se recoucha sur le lit en laissant les secondes glisser sur son corps...

Finalement, le grand moment arriva. Elle somnolait un peu sur le lit lorsqu'il entra dans la pièce. À vrai dire, elle ne l'entendit pas avant qu'il ait atteint le pied du lit. Elle le regarda longuement : il portait l'habit qu'elle lui avait offert pour leur voyage de noces, comme elle le lui avait demandé, mais elle fut davantage ravie de voir à quel point il se ressemblait, comme si rien n'avait changé depuis tout ce temps, comme s'il n'était pas mort. Elle chassa cette idée de sa tête, elle n'avait pas à y penser ; le cancer était une chose du passé. Là, ils étaient dans leur antre, le lieu où ils pouvaient laisser libre cours à leur amour. Ici, la mort ne pouvait pas les empêcher de s'aimer. Cette chambre, le dernier lieu où ils avaient connu le bonheur avant l'annonce du cancer, serait leur secret à tout jamais.

Ils s'observèrent en silence pendant un bon moment, perdus dans leurs pensées. Ce fut lui qui rompit le charme. Il s'assit d'abord à côté d'elle et s'approcha doucement afin que sa bouche puisse toucher l'oreille de sa compagne.

— *I love you, forever...*

Il ne devait pas parler... La jeune femme ne put s'empêcher de pleurer... si seulement c'était possible ! Avant qu'il n'ait eu le temps de dire quoi que ce soit d'autre, elle se jeta à son cou et l'embrassa passionnément. Il répondit à son baiser avec la même fougue que lors de leur première rencontre, avec une intensité qu'elle n'avait pas connue lors des quatre derniers rendez-vous dans la chambre 308, un peu comme si cette fois-ci, c'était vraiment lui. Elle savait pourtant que ce n'était pas possible ! Après ce fougueux baiser, elle le déshabilla précipitamment, découvrant des mains en même temps que des yeux ce corps magnifique. Elle l'embrassa partout à la fois, promenant sa langue de son nombril jusqu'à son cou. Elle avait envie de se blottir contre ce torse puissant, afin de ressentir cette sécurité qui l'avait quittée en même temps que le cancer emportait son mari.

De son côté, il semblait un peu timide, maladroit, comme s'il n'avait jamais connu de femme auparavant. Mais à mesure que le temps passait, il prenait de plus en plus d'assurance. Il répondait aux caresses de la femme de manière toujours plus audacieuse, jusqu'à explorer sa caverne humide avec un doigt, puis avec la langue. Il goûtait son jus intime tout en accélérant le rythme.

Elizabeth, folle de plaisir, poussait régulièrement de petits gémissements, jusqu'au cri subit accompagnant l'orgasme. Elle prit les cheveux de l'homme et releva sa tête de son entrecuisse. Elle plongea alors son regard dans celui de son amant et resta un moment muette en constatant la ressemblance avec son mari.

— *I want to make love ... now!*

Elle lui donna un condom, qu'il enfila en silence. Il s'installa sur elle et la pénétra doucement, alors qu'elle lui griffait le dos et lui caressait les fesses. Après quelques instants de ce petit manège, il accéléra le rythme ; le plaisir montait de plus en plus vite chez la jeune femme. Elle referma ses jambes autour du bassin de son amant et commença à frotter ses seins contre son torse. Elle le renversa afin de se retrouver sur le dessus et le chevaucha à un rythme dément. Il tentait de la ralentir, mais elle trouvait toujours le moyen d'aller plus vite, plus profondément. Finalement, ils s'écroulèrent dans un orgasme simultané.

Elizabeth remit un peu d'ordre dans sa chevelure et se dirigea vers son sac de voyage duquel elle sortit un magnum de champagne : du Pierre Moncuit acheté pour l'occasion. La même marque que celle de la bouteille qu'ils avaient bue cinq ans plus tôt. Ils savourèrent le champagne silencieusement, tentant parfois une fantaisie en versant la pétillante boisson sur le corps de l'autre avant d'aspirer goulûment le liquide ainsi répandu. Bientôt ivres, ils firent livrer un souper à leur chambre afin de ne pas avoir à interrompre la danse langoureuse de leurs hanches.

Sitôt le repas terminé, ils recommencèrent à consumer leur passion, pour ne s'arrêter qu'au petit matin, morts de fatigue. Ils dormirent en cuillère, comme ils n'avaient pu le faire depuis des années.

À son réveil, Elizabeth ne fut pas surprise de constater qu'elle reposait seule dans la chambre. Les choses devaient se passer ainsi. L'homme avait disparu, sans aucune trace, sans un mot. Pour seul souvenir, il restait l'habit soigneusement plié sur une chaise. Le comédien avait vraiment bien joué son rôle. Elle faisait affaire avec cette agence depuis quatre ans, et c'était la première fois qu'un homme réussissait à se glisser suffisamment dans la peau de son défunt mari pour la troubler. Elle ramassait ses affaires et s'apprêtait à partir lorsqu'elle remarqua que l'homme avait oublié de prendre les cinq cents dollars. Elle prit donc le numéro de l'entremetteur inscrit sur un papier roulé en boule dans son sac à main. Après tout, l'inconnu avait bien mérité sa paye.

— Oui, allo !

— Excusez-moi de vous déranger, je suis Elizabeth Tucker, vous vous souvenez de moi ?

— Oui, bien sûr ! Je me doutais bien que vous alliez nous appeler. J'allais d'ailleurs le faire moi-même. Je m'excuse, mon homme n'a pas pu se présenter hier. Une vilaine grippe l'a gardé au lit. De plus, on s'est fait voler le costume que vous nous avez envoyé. Mais ne vous en faites pas, madame, je vais tout vous rembourser.

Elizabeth faillit échapper le combiné de téléphone. Le visage rouge, elle s'efforça de reprendre son souffle.

— M'dame ? Vous êtes là ?

— Oui... Oui, je suis là. J'étais seulement perdue dans mes pensées, mais ça va mieux. Vous n'avez pas à me payer pour l'habit, je n'en ai pas besoin. Grâce à cette maladie de votre employé, j'ai pu voir l'homme de ma vie...

— Content que vous ayez pu avoir du bon temps dans notre belle ville, j'espère que vous allez revenir bientôt.

— Bien sûr... dans un an !

9 : L'Arracheur de rêves (5)

Marc-Antoine avait mal aux reins et au dos. Il ouvrit les yeux et découvrit la raison de son inconfort : il était courbaturé par une nuit passée sur sa chaise de bureau plutôt que dans son lit. Sa main tenait son pénis ramolli. Il ne fut que partiellement surpris de voir qu'elle était recouverte de sperme, comme son sexe et une partie de son ventre. En fait, il trouva de sa semence jusqu'à la hauteur de son torse. Pas surprenant avec le rêve qu'il venait de faire. Il ne se souvenait pas de tout, mais il gardait le souvenir d'une peine profonde et d'une baise mémorable. Il sentait encore le parfum d'Elizabeth. Décidément, ces rêves où il devenait une femme exerçaient une influence sur sa libido. À moins que ce ne soit sa libido qui engendrait ses rêves. Il devait songer à rencontrer quelqu'un. Il descendit dans la salle de bain principale pour s'essuyer sommairement.

Puis, un détail lui revint. Le préposé ou le réceptionniste, celui qui l'avait accueilli, il… Marc-Antoine douta un instant de son identité, mais il finit par l'admettre : il s'agissait de son proprio. Beaucoup plus jeune, mais c'était bien lui. Ses oreilles tombantes, son nez épaté et rougeâtre, mais surtout son regard si vif, l'identifiaient à coup sûr. Il chercha à se souvenir de la nuit précédente, de ce rêve avec les romans Harlequin. Jean ne possédait aucun trait commun avec Gustave. Par contre, n'y avait-il pas un collègue de bureau qui en avait ? Ou un passager du bus ? En fait, Marc-Antoine en vint à la conclusion que les souvenirs n'étaient plus assez frais dans sa mémoire. Déjà, il doutait que le réceptionniste eût quoi que ce soit en commun avec le proprio. Même si c'était le cas, Marc-Antoine était physionomiste et il ne trouvait pas surprenant qu'un visage aussi remarquable l'ait frappé de façon à ce que son subconscient le projette dans ses rêves. Il décida de prendre en note cette description pour l'utiliser dans une de ses histoires.

Marc-Antoine retourna dans son bureau pour relire ce qu'il avait écrit la veille. Son dos courbaturé l'élançait, mais il était excité à l'idée de lire ces passages géniaux qu'il avait composés. Il ouvrit le fichier et passa rapidement sur les passages écrits deux jours plus tôt. À la fin du texte, il ne vit rien. Il essaya de descendre le cadre. Tentative inutile puisqu'il n'y avait rien d'autre. À tout hasard, il regarda les derniers fichiers ouverts par son logiciel de traitement de texte. Il ne trouva pas les nouveaux passages.

Je ne comprends pas, se dit-il. *Je me souviens clairement de les avoir écrits. C'était génial. C'était…*

Marc-Antoine se laissa tomber sur sa chaise et tenta de reconstituer les scènes écrites la veille. Au début, il les sentait à portée de main, comme lorsqu'il cherchait un mot. Enfin, il finit par accepter l'argument irréfutable : il avait rêvé qu'il écrivait. Ce ne pouvait être que ça. Mais alors, qu'avait-il fait – vraiment fait – pendant sa période d'éveil ?

Marc-Antoine passa une partie de la journée à écrire. Il serait plus juste de dire « à tenter d'écrire ». À chaque phrase qu'il écrivait, il ne pouvait s'empêcher de penser qu'il pouvait faire mieux. Qu'il AVAIT fait mieux, la veille. Au bout d'efforts intenses, il parvint à composer une dizaine de lignes potables qui réussirent à éviter le couperet.

Il ne fut donc pas déçu de devoir interrompre son travail lorsque quelqu'un sonna à sa porte. Il s'éjecta de sa chaise, qui roula sur quelques centimètres, il sortit de son bureau et courut dans le couloir jusqu'à la sortie de son logement. Il ouvrit la porte à la volée et descendit les marches deux à deux pour répondre. Il tomba face à face avec Jonathan, un des deux amis qui l'avaient aidé à déménager. Celui-ci le dévisagea avec des yeux ronds.

— Quoi ? demanda Marc-Antoine.

— Toi, tu m'as oublié. À moins que tu n'aies décidé de changer de style pour aller veiller. Mais je ne suis pas sûr que le look « gars-en-bobettes-qui-n'a-pas-dormi-depuis-trois-jours » soit encore à la mode.

Jonathan conclut sa phrase par un rire bref.

— Je… Quoi ? Ce n'est pas demain qu'on devait se voir ?

— Je… Quoi ? Ce n'est pas demain qu'on devait se voir ? reprit Jonathan en l'imitant.

Il continua sur un ton plus sérieux :

— Non, c'est bien ce soir. On est jeudi et on est censés aller draguer sur la Grande-Allée. Ne me dis pas que tu vas me laisser tomber à la dernière minute ?

Pendant un moment, Marc-Antoine jongla avec l'idée de se trouver une excuse pour ne pas sortir. En réfléchissant, il en vint toutefois à la conclusion que ça lui ferait du bien de voir du monde. Il était clairement en manque et ce n'était pas en restant chez lui qu'il rencontrerait des femmes. Si seulement il n'avait pas laissé Anne en partant sur un coup de tête. Et s'il la rappelait ? Il chassa cette idée et reporta son attention sur son ami, qui l'observait.

— T'es sûr que ça va, toi ? demanda Jonathan, visiblement inquiet.

— Oui, oui, bredouilla Marc-Antoine. Monte au salon, je prends une douche et on part.

— Marc-Antoine !

Le jeune homme releva la tête et regarda autour de lui jusqu'à ce qu'il croise le regard de Jonathan.

— Hein ! Quoi ?

Jonathan éclata de rire. Cela prit un moment avant qu'il ne puisse reprendre son calme.

— Je n'en reviens pas. T'es dans un bar. Le nombre de décibels qu'il y a ici est assez élevé pour endommager irrémédiablement ton ouïe et toi, tu trouves le moyen de t'endormir. J'espère que tu as fait de beaux rêves au moins.

Un sourire passa fugitivement sur les lèvres de Marc-Antoine. Il reprit son sérieux et regarda autour de lui. Encore à moitié endormi, il ne reconnut pas les lieux.

— On est où ? demanda-t-il.

— Chez Maurice. Tu vas voir, ça va être bien. Regarde les deux filles qui viennent d'arriver. Je suis allé à l'université avec la plus grande. Cyndi.

Il pointa deux blondes qui venaient d'entrer dans la pièce et qui se dirigeaient vers eux en roulant des hanches. La Cyndi en question semblait bien contente de revoir Jonathan. D'ailleurs, Marc-

Antoine doutait que leur relation se soit arrêtée au stade d'amis d'études.

Comme il semblait avoir perdu son ami pour le reste de la nuit, il entama une discussion avec la copine de Cyndi. Alisson était hygiéniste dentaire. Marc-Antoine n'en fut pas surpris ; il avait remarqué son sourire uniformément blanc. Elle avait de jolis yeux bleus, des joues qui rougissaient dès qu'elle parlait d'elle, des cheveux blonds courts, coupés selon une mode tendance que ne comprenait pas Marc-Antoine. Il la trouva mignonne, mais il ne put s'empêcher de penser à Anne, qu'il avait laissée à la mort de son père. Geste qu'il regrettait depuis sans oser renouer le contact avec elle. D'ailleurs, il finit par passer la soirée à parler de son ex-amoureuse. Une voix en lui, teintée d'ironie, lui rappelait à tout moment que ce n'était pas ainsi qu'il allait emmener quelqu'un à la maison. De son côté, Alisson ne cessa de parler d'un voyage qu'elle comptait faire sous peu, à Berlin. Elle lui parla de sa passion pour cette ville. Il feignit de l'écouter, hochant la tête à l'occasion. Les choses semblaient aller mieux pour Jonathan, qui faisait un examen dentaire en règle à Cyndi avec sa langue.

Marc-Antoine n'écoutait plus vraiment Alisson. Il voyait la bouche de la femme bouger, mais il ne comprenait pas les sons qui en sortaient. Il voyait seulement ses lèvres… ses dents… ses…

Il tomba endormi.

10 : Berlin rêvé

Alors que les autres enfants rêvaient de paradis exotiques, de terres latines, de contrées méditerranéennes, de plages ibériques et de croisières dans les mers du Sud, Antoine ne jurait que par l'Allemagne et, plus précisément, par Berlin. La fière cité l'obsédait avant même qu'il apprenne à lire. Très tôt, il se mit à feuilleter les livres touristiques de ses parents, à la recherche de photographies des divers quartiers de la métropole. Quand il eut six ans, sa mère s'assit sur le bord de son lit et lui raconta la terrible histoire du mur qui coupait la ville en deux. Antoine pleura pendant plusieurs heures pour les familles ainsi séparées.

Avec le temps, sa passion, plutôt que de se résorber, s'affermit. Il commença à recueillir tout ce qui concernait de près ou de loin sa patrie idyllique : livres, brochures, documents, coupures de journaux, affiches,… À 14 ans, il parlait couramment l'allemand ; il rêvait, rédigeait son journal intime et jurait, lors de ses accès de colère, dans cet idiome.

À la même époque, il prit l'habitude de passer chaque mois dans les agences de voyages pour interroger les employés sur Berlin. Une fois, il parla même pendant deux heures dans sa langue d'origine avec un Allemand naturalisé canadien qui se souvenait de l'époque où, étudiant, il fréquentait les pubs berlinois. De chacune de ses visites, Antoine rapportait avec lui dépliants et cartes routières de Berlin et des environs. Ensuite, il s'enfermait dans sa chambre, étendait sa carte sur le sol et la maintenait en place avec divers livres touristiques ouverts aux pages les plus intéressantes. À l'aide d'un surligneur jaune, il choisissait tel lieu historique, tel restaurant reconnu pour sa *schlacht-platte* (plat typiquement berlinois à base de boudin, de foie et de rognons de porc), tel pub brassant de façon artisanale une merveilleuse Berliner Weisse (bière de froment avec du sirop de framboise) et tel hôtel où avait séjourné un personnage important.

Son intérêt s'appliquait à maints domaines de la culture allemande : la littérature (particulièrement le style vieillot des romantiques), la musique (la sainte trinité formée de Bach, de Wagner et de Beethoven) et l'Histoire, surtout celle des grandes batailles. Il lui fut tout naturel de s'intéresser à la Deuxième Guerre mondiale, non comme un partisan qui justifiait les massacres nazis, mais avec l'œil de l'observateur neutre qui jetait un regard froid sur les stratégies militaires déployées de part et d'autre.

À l'âge de seize ans – en 1984 –, il passait ses soirées à rejouer chaque bataille significative à l'aide de bouchons de liège représentant autant de troupes sur un champ de bataille fait de couvertures et de boîtes de carton qui tentaient de reproduire la topographie des lieux. Il cherchait à déceler les erreurs stratégiques, mais sans jamais vouloir changer le cours des événements. Bientôt, il fut capable de répéter tous les mouvements de troupes sans même regarder dans ses livres de référence.

Et il rêvait Berlin. Il imaginait, jour après jour, des centaines, des milliers de scénarios possibles et imaginables dans l'enceinte de la ville. Certaines de ses histoires étaient axées sur un lieu, d'autres sur des personnages. Bien souvent, il se déplaçait dans les allées du palais du Reichstag avant et après l'incendie de 1933, ou encore il regardait la lune se profiler sous la coupole de cet édifice. Les images se succédaient, se bousculaient : première histoire d'amour à l'ombre du château Bellevue, rendez-vous secret à la statue de Lénine, tractation illégale au cœur des ruines de la gare d'Analter. Mais de tous ces lieux, son préféré était la Victoire ailée, qui célébrait de sa silhouette dorée toute une série de triomphes militaires de la puissante armée prusse sur la France, le Danemark, l'Autriche et la Bavière. Cette statue, entourée des canons capturés pendant la guerre franco-prussienne de 1870-1871, servait chaque nuit de point de départ à ses excursions nocturnes en terres berlinoises.

Il songea plus d'une fois à visiter Berlin. Parfois, il se rendait dans une agence de voyages et se renseignait sur le coût des billets, des laissez-passer de trains et des hôtels. Chaque fois, il trouvait une excuse pour remettre son départ à plus tard.

Un jour, il finit par s'avouer la vérité : il n'était pas vraiment prêt à confronter ses illusions avec une visite réelle. Il attendait un signe, un indice qui lui montrerait qu'il était maintenant temps pour lui de réaliser son rêve.

Cette passion lui apporta plus de problèmes qu'autre chose : ses résultats scolaires frôlaient la catastrophe, car il peinait à garder son attention sur tout ce qui s'éloignait du saint empire germanique. Il était lunatique et indiscipliné. En contrepartie, on lui concédait une maîtrise parfaite de l'allemand, une connaissance encyclopédique de ce pays, une imagination fertile et une excellente plume.

Lorsque vint le temps de choisir une profession, il se tourna tout naturellement vers l'écriture. Il coucha sur le papier une partie des récits qui le hantaient depuis l'enfance. Sa production fut impressionnante : dès la première année, il fit paraître un roman sur les mésaventures d'une famille séparée par le mur de Berlin et sur la manière dont ses membres avaient gardé le contact. Le roman fut suivi des deux premiers volumes de sa série de recueils de nouvelles intitulés *Rencontres à Berlin*. La critique salua la reconstruction minutieuse de l'atmosphère berlinoise, le grand sens de l'anecdote de l'auteur et la manière remarquable dont l'esprit du peuple allemand s'était retrouvé emprisonné dans les lignes de chacun des textes. Personne ne crut Antoine lorsqu'il affirma n'avoir jamais mis les pieds dans son lieu fétiche. Le public suivit les critiques, et les chroniques berlinoises d'Antoine Lemay connurent un relatif succès en librairie, pendant un certain temps.

Bien vite, le lecteur moyen fut enseveli sous la production phénoménale du jeune homme, qui écrivait en moyenne une quinzaine de pages par jour. Certains lui reprochaient de présenter une version naïve et idéalisée de la métropole ; d'autres lui reprochaient de ne pas se renouveler, de ne pas s'éloigner de plus d'une demi-heure de route de sa ville fétiche. Son agent lui conseilla de délaisser la nouvelle au profit d'autres romans historiques, mais le jeune auteur arguait que travailler à un roman grugerait le temps nécessaire pour écrire toutes les histoires qui lui trottaient dans la tête. De toute façon, les ventes lui importaient peu. Il se retira du milieu littéraire et continua son travail, qu'il envoyait à l'occasion à diverses revues. Puis, il le fit de moins en moins souvent et garda ses textes pour ses seuls yeux. Pendant six ans, il vécut du pécule accumulé lors de ses heures de gloire et continua à cultiver sa passion en reclus, comme un véritable ermite, dans son deux et demi décoré à la mode berlinoise.

Lorsqu'il entendit parler du concours radiophonique *Partez à Berlin avec Bulle Téléphone*, il y vit le signe tant attendu : il avait l'occasion de réaliser son vieux rêve de troquer son rôle d'écrivain contre celui de personnage d'une de ses histoires. Le règlement stipulait que les quatre premières personnes qui appelleraient à l'émission du matin et qui pourraient répondre correctement à trois questions sur le nouveau téléphone portable gagneraient un voyage d'une semaine, toutes dépenses payées, à Berlin. Dès que l'animateur eût parlé du concours, Antoine programma son téléphone pour composer automatiquement le numéro de la station de radio. Ensuite, il se mit à étudier le portable, à se renseigner auprès des vendeurs de différents magasins et à lire les indications derrière les boîtes. Le jour du concours, il connaissait toutes les particularités de l'objet. L'animateur n'avait pas terminé sa question que déjà la composition automatique était enclenchée. Après la troisième sonnerie, il fut en ligne et, à partir de là, répondre aux trois questions ne fut plus qu'une formalité.

Trois semaines, voilà tout le temps qu'il avait pour les préparatifs du voyage. Tout d'abord, il dut se procurer passeport et valise, choses qui lui avaient toujours paru superflues, car il ne sortait jamais du Québec. Puis, il acheta les divers accessoires de voyage qui lui manquaient : porte-savon, étui de brosse à dents, journal de bord, vêtements de rechange, etc.

Dans son salon, il tria les cinq cent vingt-trois guides touristiques qui composaient sa collection et forma diverses piles selon leur pertinence. Il passa ensuite chaque livre en revue tout en dressant une liste des lieux les plus intéressants. Sa tâche se trouva grandement facilitée par le fait que tous les endroits attirants étaient surlignés au crayon jaune. Depuis le temps qu'il attendait ce voyage, il ne laissa rien au hasard.

En tout, il dressa une liste de huit cent onze endroits incontournables : pubs, restaurants, cafés, hôtels, monuments, théâtres, rues commerçantes et lieux historiques. Il réalisa alors l'envers de la médaille : il ne bénéficiait que d'une semaine pour visiter sa ville phare !

Il se mit donc à sabrer dans sa liste en partant du principe que le seul choix indiscutable était la Victoire ailée. Au début, l'élagage se fit sans trop de problèmes : il coupa les lieux qui se ressemblaient, les endroits trop touristiques, ceux qui étaient trop éloignés du centre-ville... Mais, rapidement, chaque choix devint un dilemme. Chaque nouvelle amputation à sa liste lui brisait le cœur. Après vingt-quatre heures de débats internes, une fois qu'il eût écarté sept cent quatre-vingt-dix lieux incontournables, il eut sous les yeux une liste de vingt et un lieux à visiter en sept jours.

La journée du départ, dès le réveil, une forme d'anxiété le gagna. Pour chasser l'angoisse de rater le départ ou d'oublier quelque chose, il passa en revue tous ses bagages et se présenta à l'aéroport avec plus de huit heures d'avance. Dès que le comptoir ouvrit, il fit enregistrer ses bagages et réclama sa carte d'embarquement. Il s'assit ensuite sur l'un des sièges inconfortables de l'aérogare, un quotidien allemand sous les yeux et son bagage à main sur les genoux. Il laissait les minutes s'égrener en lisant des articles sur l'équipe nationale allemande de soccer et sur la criminalité grandissante à Berlin. Le premier doute en profita pour se glisser sournoisement dans l'esprit d'Antoine. Et si Berlin n'était pas telle qu'il l'imaginait ? Et s'il était déçu ?

Il chassa ces pensées d'un mouvement de tête. Plus que deux heures avant le décollage. Les autres gagnants du concours arrivèrent : une jeune adolescente aux cheveux si souvent colorés que sa couleur naturelle était indiscernable et deux hommes d'âge mûr en pleine conversation sur la politique canadienne. Le guide qui les accompagnerait pendant tout le voyage se présenta. Ils parlaient, riaient et gesticulaient sans cesse. Antoine prit alors conscience qu'il devrait les endurer pendant sept jours. Et s'ils gâchaient son rêve ?

Étreint par un doute soudain, Antoine questionna le guide sur l'emploi du temps durant le voyage. Il ne vit pas venir le coup : tout était planifié à la seconde près, ce qui ne leur laissait aucun moment libre, mais de plus, seulement deux des lieux composant la liste d'Antoine se trouvaient au programme.

Il prétexta un mal de cœur et se dirigea vers les toilettes. Dès qu'il sortit du champ de vision de l'accompagnateur, il bifurqua vers la sortie, laissant derrière lui son sac de voyage. À l'instant où les voyageurs étaient appelés pour le vol Montréal-Berlin, il entrait dans son appartement, dont il ferma la porte à double tour. Il débrancha les téléphones et mit un disque de Beethoven en continu, le volume aussi fort que le lui permettait la présence de voisins. Il se dirigea ensuite vers sa chambre, qu'il vida de tous ses meubles pour ne garder qu'une grande carte routière de Berlin, ses livres et une tonne de bouchons de liège qu'il éparpilla sur la carte, où ils représentaient autant de gens qu'il aurait l'occasion d'en rencontrer. Ensuite, il retira fiévreusement de ses livres toutes les photographies en couleur qu'ils contenaient et les colla sur chaque centimètre de ses murs et de son plafond. Même la porte et les fenêtres en furent recouvertes.

Puisqu'il ne pouvait aller à Berlin, la capitale allemande viendrait à lui. Avec pour fond sonore la troisième symphonie, il commença son parcours à la Victoire ailée, où il rencontra Heinrich, un jeune soldat homosexuel qui lui fit découvrir tout un quartier. Il fit la connaissance de dizaines de personnes, visita des lieux sans arrêt, sans jamais manger ni boire. Il joua simultanément son rôle et celui de ses interlocuteurs pendant des heures. Le 5 mars 2002, il posa son dernier bouchon, et ses yeux se fermèrent de fatigue pour ne plus jamais se rouvrir.

Son corps fut retrouvé trois semaines plus tard. Le médecin légiste attesta que la faim et la fatigue étaient venues à bout de l'homme. Le cadavre était émacié à un point tel que les os semblaient sortir littéralement de son corps. Sa mort passa toutefois inaperçue, ses livres cessèrent d'être réimprimés et il fut rayé de la mémoire humaine. Au même moment à Berlin, une rumeur, qui prendrait plus tard des airs de légende, mentionnait qu'un fantôme hantait chaque nuit les rues de Berlin. L'être immatériel croisait les gens, discutait avec eux, cherchait à tout voir, à tout connaître et s'éclipsait dans les bras de la Victoire ailée juste avant le lever du soleil...

11 : L'Arracheur de rêves (6)

Marc-Antoine entendit résonner des voix allemandes dans sa tête un moment avant de réaliser qu'il était éveillé, dans son lit. Il ouvrit les yeux pour les refermer aussitôt. La faible lumière qui passait entre les rideaux lui était intolérable. Il ressentait un début de nausée et un mal de tête lancinant. Il s'assit sur le côté du lit, dos à la fenêtre, et ouvrit les yeux lentement en se massant les tempes. Il avait la bouche pâteuse… comme lors d'un lendemain de veille. Pourtant, il n'avait pas le souvenir d'avoir bu beaucoup.

Il se leva et passa à la salle de bains pour s'asperger le visage d'eau. Il regarda l'heure à sa montre : 10 heures 22. Il sourit tristement. *Je dors pendant des heures depuis que je vis ici, et le premier soir où je me couche à une heure déraisonnable, je me réveille tôt.*

Il se traîna vers son lit dans le but de se recoucher. Puis, il cessa tout mouvement. La chambre était un véritable champ de bataille. Les draps étaient défaits, les vêtements, jetés sur le sol comme autant de vestiges du combat et, fait plus surprenant, des condoms et des mouchoirs en papier jonchaient le plancher. Et il y avait cette odeur : un mélange de sexe et de renfermé.

Marc-Antoine secoua la tête. Il avait beau chercher, il ne parvenait pas à se souvenir de la soirée.

Il croyait avoir amené une femme chez lui. Ils avaient baisé : son corps qui se cabrait sur le sien, ses seins… Est-ce qu'il avait fini la nuit avec Alisson ? Il devait appeler Jonathan pour en savoir plus.

Il monta péniblement jusqu'à l'étage et prit le téléphone du salon. Il avait composé les deux premiers chiffres lorsqu'il réalisa qu'il n'y avait pas de tonalité. Il lança le combiné sur le sol et se laissa choir sur le divan en se tapant le front. Il cherchait à se souvenir de la soirée.

Il eut une vision. Il embrassait une fille dans la rue, contre la façade de l'immeuble, puis dans les escaliers menant chez lui. Il se leva du divan pour regagner le couloir et ouvrit la porte pour avoir une vue sur les marches qui conduisaient à l'extérieur. Oui, il se souvenait de tout. Il l'avait appuyée contre le mur de droite et l'avait embrassée passionnément tout en promenant une main sur ses fesses, entre sa jupe et le string noir. Marc-Antoine ferma les yeux et se concentra pour bien voir la scène. Il voyait la jambe de la femme se relever. Il voyait sa main à lui qui descendait la petite culotte. Il se rappelait parfaitement la sensation de chaleur lorsque son doigt avait pénétré l'intimité humide de la femme. Mais il ne pouvait discerner son visage. Encore un peu de concentration. Son crâne lui faisait mal, mais il devait savoir. L'image mentale se précisa : Manon, c'était Manon !

Marc-Antoine secoua la tête. Il ressentit un malaise pendant un long moment. Il savait qu'il n'avait pas baisé avec Manon. Impossible, elle n'était qu'un rêve. Seulement, rêve et réalité semblaient se confondre dans sa tête.

Marc-Antoine retourna s'asseoir sur le divan. Cet oubli le troubla, d'autant plus qu'il se souvenait parfaitement de ce rêve étrange où il était obsédé par Berlin. En fait, il se souvenait même d'avoir été Antoine Lemay. Mais ce qui le troublait le plus, c'était que les souvenirs de Lemay avaient plus de netteté que les siens.

Il se leva et fit le tour du logement. Dans la cuisine, il trouva un petit mot collé sur son réfrigérateur :

Merci pour cette merveilleuse nuit. Ce matin, tu dormais si profondément que je n'ai pas osé te réveiller. Je te laisse mon numéro si tu veux m'appeler. Alisson.

Suivait son numéro de téléphone. Cela rassura Marc-Antoine sur un point : il savait avec qui il avait passé la nuit. Malgré tout, il ne se souvenait pas d'elle. Il retourna dans sa chambre en espérant y voir plus clair.

Des visions fugitives se succédèrent. Il se voyait sur le lit. Une femme à quatre pattes devant lui. Son corps se rappelait des frissons qui le parcouraient alors qu'il la pénétrait de plus en plus sauvagement. Pourtant, quand elle relevait la tête, c'était le visage d'Anne qu'elle avait. Mais, il n'avait pas revu son ex depuis des mois. Le visage se transforma. Il crut un instant qu'il s'agissait d'Alisson, mais il reconnut plutôt Elizabeth, la jolie touriste américaine du rêve de la veille – de l'avant-veille ? Il ne pouvait le dire avec certitude. Ses songes récents lui semblaient plus réels que sa vie. D'ailleurs, en cherchant un peu, il se rendit compte qu'il peinait à se souvenir de ce qu'il avait fait dans les derniers jours.

Il décida de prendre l'air avant de devenir fou. Du balcon, il vit le Fumeur, un étage plus bas, en train de regarder les oiseaux. Une cigarette au coin des lèvres, il buvait un café à même un vieux thermos de métal rouillé. Ressentant un besoin de compagnie, Marc-Antoine alla le rejoindre.

— Bonjour, dit-il en tentant de prendre un ton jovial.

L'autre écrasa sa cigarette contre le sol et la jeta dans un baril de plastique blanc rempli de terre et de mégots. Il en alluma une autre et se retourna vers Marc-Antoine.

— Salut ! Bien dormi ?

Il conclut sa phrase par un sourire concupiscent. Marc-Antoine comprit qu'il avait entendu ses ébats de la nuit précédente. Il prit tout son courage pour dire maladroitement :

— J'espère que je ne vous ai pas dérangé cette nuit.

L'autre eut un rire qui n'avait rien de bien rassurant.

— Pas au courant pour cette nuit. Mais la nuit dernière...

Autre sourire plein de sous-entendus.

— Quoi ?

— Ben oui, la nuit de jeudi à vendredi. Je suis ici presque tout le temps.

Il prit une bouffée de cigarette et une gorgée de café. De près, Marc-Antoine pouvait voir la couleur douteuse du café.

— Je ne comprends pas. Je... On est vendredi aujourd'hui. N'est-ce pas ?

Un doute commençait à s'infiltrer dans son esprit. L'autre secoua la tête, les yeux ronds.

— La transformation a déjà commencé, dit-il d'un ton entendu.

— Quoi ?

— La transformation. Tu deviens un monstre. C'est pour ça que j'ai arrêté de dormir. Je devenais une chose. Je me souvenais de choses horribles.

Toute trace de sourire disparut de son visage. Un tremblement lui traversa tout le corps. Il but une longue gorgée de café, les yeux fermés. Puis, il se releva.

— Je vais en faire d'autres, en veux-tu ?

Marc-Antoine refusa d'un mouvement de la tête. Il retourna vers son logement, secoué par cette rencontre.

— Hé ! Le jeune ! Fais attention, c'est dans le sommeil que la transformation commence.

Marc-Antoine ne se retourna pas. Il attendit d'entendre la porte du logement du Fumeur se refermer avant de regagner le sien.

Il croisa le propriétaire sur le balcon.

— Comment vous plaisez-vous ici ? lui demanda Gustave.

Marc-Antoine bredouilla quelque chose sans vraiment y prêter attention. L'autre ne sembla pas s'en préoccuper.

— Je vois que vous avez fait connaissance avec Tom. Il est un peu fou, mais ne vous en faites pas, il n'est pas dangereux. Il prend des médicaments. Moi, il ne me dérange pas. Il ne demande jamais rien, et une de ses sœurs paie le loyer pour lui tous les mois.

Gustave dut remarquer l'expression désemparée dans le regard de Marc-Antoine, car il interrompit son monologue pour l'observer d'un air grave.

— Ça va ? demanda-t-il. Il ne vous a rien fait, j'espère. Si c'est le cas, vous n'avez qu'à me le dire.

— Non, ce n'est rien. Je suis juste fatigué.

Et c'était vrai. Pourtant, il venait de dormir plus de 24 heures. En regardant sa montre, il vit bien que la date était celle de samedi et non de vendredi. Le Fumeur – Tom – avait donc dit vrai.

Marc-Antoine était installé devant son ordinateur depuis plus d'une heure. Il passait plus de temps à se gratter les oreilles ou à se faire craquer les jointures qu'à écrire. Il ressentait une fatigue immense. Pourtant, il n'avait rien fait de bien exténuant pendant la journée. Il avait marché dans le Vieux-Québec. Il avait mangé avec Jonathan, qui lui avait confirmé ce qu'il savait déjà : il avait bien fini la nuit avec Alisson. Il n'avait toutefois pas posé trop de questions afin d'éviter que son ami ne s'inquiète. Il avait prétexté la fatigue pour partir tôt. Depuis, il essayait d'écrire. Sans succès.

Il était à peine 23 heures, mais il se sentait comme s'il venait de passer une nuit blanche. Il se dit qu'il devrait consulter un médecin pour ce problème de fatigue. Ce n'était pas normal. Et s'il faisait une dépression ?

Il pensa à sa mère. Il allait l'appeler sous peu pour se réconcilier avec elle. Il revit aussi son père sur son lit de mort. Son visage émacié. Et ces terribles choses qu'il lui avait dites avant de mourir.

Les idées continuèrent à s'enchaîner dans sa tête jusqu'à ce qu'il s'endorme sans s'en rendre compte.

Un conteur vient d'arriver sur une scène à peine surélevée. La petite foule l'applaudit, il semble populaire à cet endroit. L'homme prend le micro et s'éclaircit la voix. Même si la salle est plongée dans la pénom-

bre, ses traits sont reconnaissables. Il s'agit de Gustave. Il cache un éternuement derrière son poing fermé
avant de commencer à parler :

— Vous me connaissez, je n'aime pas les histoires.
Tout ce que je raconte, c'est vrai. Est-ce que je vous ai
déjà parlé de Michel ? Le professeur ?

À l'exclamation de la foule, on se rend bien compte
que oui. Toutefois, les gens veulent entendre l'histoire
encore une fois. D'un mouvement du doigt, le conteur
contraint les spectateurs au silence.

Puis, il commence son récit.

12 : L'Art secret de la filature

Connaissez-vous Michel Pellerin ?

Ceux qui habitent la ville de Québec l'ont sans doute déjà croisé alors qu'il marchait sur le chemin Sainte-Foy entre le quartier Montcalm et l'Université Laval. Matin et soir, beau temps, mauvais temps, il marchait entre sa maison et l'université. On peut dire qu'il portait bien son nom de Pellerin : celui qui marche.

D'ailleurs, s'il y a des étudiants en littérature ici, vous avez probablement suivi un cours avec lui.

C'était un homme sans histoire, du moins c'était le cas. Il y a quatre ans, au printemps, donc en plein milieu du semestre d'hiver, Michel remarqua quelqu'un qui l'observait sous sa fenêtre avant de le suivre pendant le reste de la journée. Au début, Michel trouvait cela bizarre d'être pris en filature comme dans les films policiers, sauf que l'individu ne semblait pas prendre de précautions pour ne pas être vu. Au contraire, il donnait l'impression de vouloir être vu. Dès que Michel s'avançait vers lui, il s'éloignait. Il ne semblait pas dangereux et évitait tout contact.

Après quelques semaines de ce petit manège, Michel en eut assez. Il décida donc d'en finir une fois pour toutes. Ce matin-là, Michel resta un moment à examiner une dernière fois les traits de son poursuivant. Il n'avait vraiment rien d'un méchant personnage de roman : grand, plutôt mince, de courts cheveux châtains et frisés, des yeux pers dépourvus de malice, une barbe de quelques jours qui ne couvrait pas toutes ses joues et encore les mêmes vêtements qu'il étrennait jour après jour, à croire qu'ils faisaient partie intégrante de son corps. Michel ne put s'empêcher de lui trouver un air de petit garçon perdu… de fait, il semblait un peu plus jeune que ses étudiants : vingt ans tout au plus.

Il chassa cette pensée et se concentra pour trouver un moyen de s'en débarrasser. Depuis le début de cette ridicule poursuite, il avait tenté bien des fois de lui parler. Sans succès.

L'autre se leva… Michel espérait qu'il parte. Non, il se rapprocha. Sans la fenêtre, ils auraient presque pu se toucher. Il plongea son regard dans celui de Michel et lui fit un sourire narquois tout en lui envoyant la main…

Michel prit son geste pour une provocation. Il jura que ce jour-là, après ses cours, il allait rentrer sans ce poids encombrant.

Il partit vers son lieu de travail, à pied, comme d'habitude. Mine de rien, il restait attentif au bruit des pas dans son dos. Le trajet entre son domicile et l'université prenait quarante minutes. Quarante minutes qu'il occupait habituellement à mettre de l'ordre dans ses idées, à préparer ses cours et à élaborer des projets de nouvelles ou de romans condamnés à ne jamais être couchés sur papier, faute de temps pour les écrire. Cependant, depuis le début de la filature, ces quarante minutes s'étiraient interminablement ; il souffrait pendant deux mille quatre cents secondes, à se retourner sans cesse dans l'espoir que l'autre le laisse en paix.

Cruel constat : tous les jours, il traînait le même boulet.

À l'université, il jouissait d'une relative sécurité. Il restait seul dans son bureau, alors que l'autre s'asseyait contre un grand érable face à sa fenêtre. Pendant que Michel donnait ses cours, l'autre partageait son temps entre le corridor et la fenêtre extérieure. Ce manège faisait perdre tous ses moyens au professeur, qui commençait à bégayer devant une classe hilare.

Ce jour-là, Michel ne se rendit pas en classe, pas tout de suite. Il venait de trouver un plan. Au lieu de continuer tout droit sur le chemin Sainte-Foy, il tourna à gauche dans la rue Margerite-Bourgeois. L'autre le suivit.

Michel accéléra le pas jusqu'au boulevard Laurier. De là, il tourna à gauche, puis à gauche et encore à gauche. Ce stratagème lui permit de se retrouver juste derrière son tourmenteur.

Les rôles venaient d'être inversés, et Michel prit l'autre en chasse. Le gentil professeur mit une hargne féroce à poursuivre l'autre : il voulait comprendre l'acharnement qu'il mettait à le filer. L'autre détala aussitôt, et Michel se mit à courir.

Ils tournèrent à droite sur le boulevard Laurier en direction de Sainte-Foy et des centres commerciaux. L'instant d'une seconde, alors que l'autre lui dévoilait son profil, Michel remarqua que son tourmenteur souriait. Il n'en comprit pas la raison sur le coup, mais il avait l'impression que le changement de rôle faisait partie d'un plan.

Incapable de suivre le rythme, Michel fut bientôt distancé. Il vit l'autre bifurquer brusquement à droite pour s'engager dans une petite rue dont Michel ignorait l'existence, lui qui connaissait pourtant la région de Québec comme le fond de sa poche.

Michel atteignit la rue, à bout de souffle. Il vit l'autre, tout petit, qui s'engouffrait dans un immeuble au bout de la rue. Le professeur continua à avancer lentement, le corps couvert de sueur, pour prendre en note l'adresse du domicile présumé de son tourmenteur.

Il s'approcha de l'arrêt pour y lire le nom de la rue, mais en fut incapable. L'alphabet ne correspondait à rien de connu. Michel retourna sur ses pas, à la fois satisfait et déçu : il marchait enfin sans présence gênante derrière lui, mais il ignorait toujours pourquoi il avait fait l'objet d'une telle poursuite.

Il se trompa de chemin, car, en revenant sur ses pas, du moins en pensant le faire, il ne rejoignit pas le boulevard Laurier. Pourtant, il était bel et bien dans une grande artère. Il regarda l'architecture des bâtiments. On aurait dit un décor sorti tout droit des téléromans américains du début des années 1980. Il crut qu'il avait débouché plus loin qu'il ne le pensait. Au premier coin de rue, il vérifia le nom du boulevard : encore cet alphabet étrange et inconnu.

Affolé, il marcha dans la direction de sa demeure. Il passa à côté de plusieurs restaurants et magasins qui présentaient des affiches dans la même langue inconnue. Il redoutait quelque chose de terrible. Il se dirigea vers la première cabine téléphonique. Rechercha frénétiquement dans l'annuaire des téléphones. Comme il le craignait, son nom ne s'y trouvait pas, du moins, pour ce qu'il pouvait en lire.

Il ignorait où il se trouvait. Pire encore, il n'avait aucune idée de la façon dont il y avait abouti. La seule chose dont il était certain, c'était que celui qui l'avait tourmenté devait jouer un rôle dans ce phénomène. Il se dirigea donc aussi rapidement que ses jambes endolories le lui permettaient vers la résidence présumée de l'inconnu.

Il fit le tour de l'édifice pour s'assurer qu'il n'y avait pas d'autre sortie, puis il se posta dans le hall. Et il attendit. Le temps passa, lentement, lui permettant de réfléchir à sa situation impossible.

Que lui arrivait-il ?

Le cours de ses pensées fut interrompu par le passage d'une jeune femme. Elle avait de beaux cheveux blonds, une silhouette effilée, le pas léger… Presque malgré lui, il commença à la suivre. Au début, il ne comprenait pas vraiment ce qui le poussait à la prendre en chasse, mais il commença rapidement à y prendre goût, usant de tous les moyens à sa disposition pour qu'elle le voie, tout en se gardant une porte de sortie pour s'éclipser si elle se dirigeait vers lui. Ce qui avait commencé comme un jeu devint rapidement une question de survie.

Il comprenait que c'était la meilleure façon de revenir chez lui, dans son monde. Du moins, il l'espérait. Si cela avait fonctionné pour son tourmenteur… pourquoi n'en serait-il pas de même pour lui ?

Au bout de quelques minutes de ce petit manège, la femme commença à lui lancer des regards en coin. Après une demi-heure de détours et de trajectoires aléatoires à un pas sans cesse croissant, son inquiétude fit place à une panique latente. Le malaise qui se lisait sur son visage donna des remords à Michel. Toutefois, il chassa cette pensée en se concentrant sur sa famille. Il s'accrocha à cette idée comme à une ultime bouée avant la noyade. Il ne connaissait pas d'autres moyens pour revoir les siens.

La femme tenta de le semer. La pauvre, elle n'avait aucune chance. Son rôle d'homme pourchassé l'avait initié à toutes les subtilités de l'art de la filature. Elle était nerveuse. Déjà, ses mouvements étaient désordonnés.

Michel sourit ; elle craquerait plus vite que lui. Cette nuit-là, il dormirait à sa fenêtre. Le lendemain, à l'aube ou un autre matin, il lui sourirait et il savait déjà que ce sourire aurait l'effet d'une bombe.

Alors, elle le prendrait en chasse.

13 : L'Arracheur de rêves (7)

La foule applaudit le conteur. Celui-ci ne semble pas y porter attention. Il fixe Marc-Antoine. De la fumée monte du plancher. Le conteur fait un clin d'œil avant de disparaître dans la brume. Lorsqu'elle se dissipe, il ne reste plus personne.

Miroirs et fumée…

En ouvrant les yeux, Marc-Antoine eut un moment de doute. Était-ce un nouveau rêve ? Il regarda autour de lui. Reconnut la table de travail, l'ordinateur, l'imprimante. Il regarda à l'extérieur. De sa fenêtre, il voyait le Fumeur, toujours assis au même endroit. Son ombre se découpait dans la lumière du soleil levant. Tout semblait calme, normal. Il remarqua un mouvement à la fenêtre de l'immeuble en face du sien. Une femme, en robe de nuit, observait elle aussi la cour. Son regard croisa celui de Marc-Antoine. Elle eut un frisson et referma aussitôt ses rideaux. Le jeune homme resta un moment à son poste dans l'espoir de la revoir, mais elle ne se montra pas. Toutefois, du mouvement derrière son rideau montrait qu'elle s'y trouvait encore. Marc-Antoine haussa les épaules : décidément, les résidents du quartier avaient tous quelque chose de bizarre. Il étouffa un bâillement dans sa main et jeta un œil à sa montre : il n'était pas encore six heures du matin. Fatigué et n'ayant aucune raison de rester éveillé, il descendit dans sa chambre et se coucha.

Il trouva aussitôt le sommeil… ou ce fut, au contraire, le sommeil qui le trouva.

Juste avant de sombrer, il eut une impression bizarre. Quelqu'un l'observait. Quelqu'un qui lui voulait du mal. Il ouvrit les yeux.

Marc-Antoine met sa main en visière pour se protéger du soleil. Il referme un œil jusqu'à ce qu'il soit capable de supporter la lumière. Il a conscience de s'être endormi. Il regarde autour de lui : à nouveau, il est dans la barque avec son père. L'homme tient une canne à la main. Le bout touche presque à l'eau ; pourtant, il ne semble pas s'en soucier. Il fixe son fils sans sourciller. Se sentant mis à nu par ce regard, Marc-Antoine pointe son doigt vers la canne.

— Je crois que ça mord, dit-il.

L'homme ne tourne pas la tête. Pendant un moment, Marc-Antoine croit qu'il fait face à une statue. Puis, la bouche de son père s'ouvre, lentement.

— Tu m'as abandonné, prononce-t-il lentement, avec haine.

Marc-Antoine accuse le coup. Il met un moment avant de bredouiller, les larmes aux yeux :

— Non. Je ne t'ai pas abandonné. Je suis resté avec toi jusqu'à la fin.

— Tu m'as abandonné. Tu étais là, mais déjà, tu me voyais comme un mort. Tu trouvais ça trop dur, tu voulais te sauver. Et c'est ce que tu as fait. J'étais en terre depuis quoi ? Cinq minutes ? Tu es parti et tu as laissé ta mère. Tu m'avais promis de t'occuper d'elle et tu l'as abandonnée quand elle avait le plus besoin de toi.

Marc-Antoine pleure maintenant à grands sanglots.

— *Je ne l'ai pas abandonnée.*

Son père donne un furieux coup de poing sur le bord de la chaloupe, ce qui fait tanguer l'embarcation. Il se lève et s'approche de son fils, causant ainsi un déséquilibre.

— *Cesse de me mentir. Tu m'as menti. Tu as menti à ta mère. Tu as menti à Anne. Tu te mens à toi-même. Tu nous as tous abandonnés.*

Puis, l'homme retourne à sa place. Ce n'est plus lui. En fait, c'est maintenant Gustave, qui tient sa canne nonchalamment. Il se tourne vers Marc-Antoine, toujours sous le choc.

— *Belle journée pour pêcher, hein, le jeune ?*

Il ramène sa prise : une belle truite de cinq ou six livres. Il la décroche avant de la dépecer. Il jette ensuite le poisson à l'eau et commence à manger les entrailles en émettant de petits grognements satisfaits.

Marc-Antoine fut réveillé par son propre cri. Son visage était inondé de larmes. Il ne savait pas ce qui l'avait le plus affecté : la scène du poisson ou les paroles de son père. Ces paroles qu'il entendait encore clairement et qui sonnaient si vrai. Il comprit soudain que le poids qu'il ressentait depuis la mort de son père n'était pas causé par la peine mais par la lâcheté.

Il essuya ses yeux et s'assit dans son lit. Il appréciait de moins en moins ses rêves et cette impression que quelqu'un le regardait. Si c'était la morte ? Après tout, l'ancienne locataire était morte quelques semaines plus tôt. Le propriétaire n'en avait pas parlé, mais Marc-Antoine se dit qu'elle avait sans doute trouvé la mort dans le logement. Peut-être même dans cette chambre. Dans ce lit.

Il se leva brusquement en regardant autour de lui, aux aguets, comme si les meubles risquaient de se jeter sur lui. Au bout d'un moment, il réussit à se calmer.

C'était ce maudit rêve qui le mettait dans cet état. Il monta à l'étage, bien décidé à se reprendre en main. Il prit le téléphone et composa le numéro de sa mère. Lorsqu'elle répondit, il se rendit compte que quelque chose clochait. La ligne n'était pas censée être en service. Il ressentit un malaise. Et s'il rêvait encore ?

— Il y a quelqu'un ? demanda sa mère qui s'impatientait au bout de la ligne.

— Maman ? C'est toi ?

— Marc-Antoine ? Tu m'as fait peur. Comme ça, le téléphone marche enfin ?

— On dirait. C'est bizarre parce que les gars ne sont pas venus l'installer.

— De quoi tu parles ? Ils sont venus hier quand je suis allée chez toi.

— Hier ?

— Oui, rappelle-toi, tu étais surpris qu'ils viennent un dimanche. Ne me dis pas que tu as encore un blanc de mémoire.

— Non, c'est juste flou.

En effet, quelques images de la veille lui revenaient en tête. Et une odeur. Celle de la tarte aux pommes.

— On a fait des tartes…

— Oui. Et des pâtés au poulet aussi. Mais tu m'inquiètes. Il y a quelque chose dans ta voix. Tu es sûr que ça va ?

— Oui.

— Et la fatigue ? Et ton trou de mémoire ? J'en ai parlé à une amie qui est infirmière, et elle m'a dit que tu devrais consulter un médecin. C'est inquiétant.

Il voulut lui dire qu'il avait perdu une autre journée, que pour lui, on était dimanche et non lundi. Il choisit de ne pas l'inquiéter.

— Je vais y penser. Mais ce n'est pas pour ça que je t'appelais. Je voulais te dire que je suis désolé.

— Désolé ?

— D'être parti comme ça. De t'avoir abandonnée après la mort de papa. Je tiens à toi. Et je vais être là à l'avenir.

Pour la première fois depuis longtemps, ils parlèrent des vraies choses. Ce fut une discussion douloureuse, mais qui permit à Marc-Antoine de se sentir mieux. Pendant un instant, il crut même pouvoir effacer les cauchemars.

Après la conversation, il se rendit à la cuisine. Il y trouva une foule de petits plats qui avaient l'odeur de la cuisine de sa mère. Pourtant, il ne se souvenait pas d'avoir participé à leur préparation. En fait, ses rêves des derniers jours lui semblaient beaucoup plus clairs. Plus réels. Les peurs primaires ressenties le matin même revinrent, plus insidieuses. Et s'il était hanté par un fantôme ou quelque chose du genre ?

Il s'habilla et sortit sans prendre de douche. Il marcha toute la journée dans les rues du Vieux-Québec. Il vit le soleil, les touristes et les amuseurs publics qui jouaient de la musique ou qui faisaient des acrobaties. Cette ambiance festive propre à cette zone touristique de la ville lui permit d'oublier ses craintes. Et, comme ça, en plein jour, l'hypothèse du logement hanté ne tenait pas debout.

14 : Toutes ces voix en lui

Dès la sonnerie du réveil, Stéphane sut que la journée serait longue. Il dut puiser dans sa réserve d'énergie pour tendre le bras et fermer le réveille-matin. Il s'assit sur le lit et massa ses tempes. Quel mal de tête ! L'alcool ingurgité la veille faisait encore son œuvre. Il regarda autour de lui : ses draps complètement sortis du lit et son couvre-lit sur le sol témoignaient d'un sommeil agité. Il se souvenait d'avoir fait des cauchemars, mais n'en gardait que des impressions fugitives. Pas étonnant après sa journée de la veille : un fou s'était tué sous ses yeux à l'hôpital Robert-Giffard en faisant le grand saut depuis le troisième étage. Et dire que le soir même, il avait pendu la crémaillère chez Jean-François. Le mélange de l'alcool et de la vision d'horreur expliquait sans doute le sommeil agité.

Il se leva tranquillement. Tous les muscles de son corps semblaient ankylosés. Il se dirigea vers la douche. L'eau chaude chassa les brumes du sommeil, mais son crâne continuait à le faire souffrir. Il avait aussi l'impression bizarre que quelque chose ne tournait pas rond. Des fragments de son rêve refaisaient surface. Pas des images, plutôt des sensations. Comme une intrusion, un viol.

Il sortit de la douche et tenta de chasser cette idée. Il prit deux cachets d'aspirine et les avala avec une gorgée d'eau. Puis, il appliqua la crème à raser sur son visage, sans vraiment y porter attention, simplement guidé par l'habitude. Il passa sa main sur le miroir pour découper un espace dans la buée. Encore l'habitude. Il ne se regardait plus vraiment quand il se rasait. N'empêche qu'à chaque passage du rasoir, l'impression que quelque chose clochait se faisait plus pressante.

Une fois le rasage terminé, il inspecta ses joues et son cou dans le miroir pour s'assurer qu'aucun poil ne s'y dressait encore. Il prit la lotion après-rasage et…

L'échappa. Et poussa un cri.

Le contenu se répandit sur le sol, mais Stéphane ne fit pas mine de le ramasser. Il fixait l'image dans le miroir. Ce n'était pas lui. Il ne connaissait pas ce brunet au faciès basané et aux grands yeux noisette qui lui lançait un regard rempli d'angoisse. Il passa sa main sur son visage. Repéra la cicatrice sur la joue de l'autre, une marque qu'il n'avait pas. Même les grandes dents écartées n'étaient pas les siennes, pas plus que les poils qui dépassaient de son nez. Le visage lui était vaguement familier, mais ce n'était pas le sien. Aucune cuite n'expliquerait qu'il passe de blond aux yeux bleus à brun aux yeux noisette.

Aucune !

Il frappa le miroir de son poing jusqu'à le fracasser. Il ne s'aperçut même pas qu'un bout de verre s'était logé dans sa paume. Il sortit de la salle de bains et fit le tour des lieux. Il cherchait quelque chose, n'importe quoi. Une preuve que quelqu'un s'était joué de lui, sans doute. De longs frissons parcoururent son corps, alors qu'il s'appliquait à respirer profondément pour reprendre le contrôle. Chaque fois qu'il passait devant un miroir, la panique en profitait pour glisser un doigt sur son cœur. Une partie de lui refusait de se regarder dans la glace. Toutefois, il ne pouvait y résister. Le même constat lui figeait le sang : il n'était pas dans son corps ! Il reconnaissait son appartement, aucun doute là-dessus. Pour le reste, ce n'était pas lui.

Il se laissa tomber sur son lit, nu, tremblotant. Il se coucha en position fœtale, les genoux ramenés jusque sous son menton. Ses genoux qui n'étaient pas les siens, trop poilus, trop musclés.

Au bout d'un moment, il retrouva un semblant de calme. Il souhaitait patauger encore dans un des cauchemars qui avaient hanté sa nuit. Sans y croire. Il eut une idée. Il se jeta sur son pantalon, qui gisait au sol, et en vida les poches. Lorsque son portefeuille chuta au sol, il le prit dans ses mains, triomphal. Il avait sa preuve. Il ouvrit maladroitement le portefeuille et regarda son permis de conduire. Tout concordait. Tout, sauf la photographie. Malgré la piètre qualité du tirage, aucun doute ne subsistait. Elle représentait l'autre, le brunet.

Pour la première fois de sa vie, Stéphane douta de sa santé mentale. Il se sentait au bord d'un précipice, en déséquilibre. Prêt à tomber à tout instant. Devant lui, le réveil le narguait en lui indiquant qu'il était huit heures et quart. Il devait absolument passer à la rédaction ce matin pour réviser son papier sur les risques de maladies dans les services des urgences au Québec. Il jongla avec l'idée d'appeler son patron. Mais pourquoi ? Aussi bien en avoir le cœur net : les autres remarqueraient-ils la transformation ?

Il s'habilla en hâte. Au moins, il n'avait pas changé de taille, et sa garde-robe lui convenait. Il prit ses clés et sortit de son appartement. Il croisa sa voisine, la vieille Marthe, qui vivait avec ses six chatons. Elle le salua. Stéphane voulut crier, lui dire que ça n'allait pas. Il se contenta de lui souhaiter une bonne journée. Il monta dans sa voiture et se dirigea vers le bureau. Sur la route, il parvint presque à oublier cette histoire de changement de corps. Toutefois, dès qu'il croisait le regard de l'autre dans le rétroviseur, il sentait son dos se couvrir de sueur.

Il gara sa voiture à sa place habituelle et entra dans les locaux de la rédaction. Johanne, la secrétaire, le salua.

— Salut, Stéphane. Toute une histoire, le gars de Robert-Giffard. Tu as vraiment tout vu ? Je veux dire : tu étais là quand il s'est jeté au sol ?

Stéphane hocha la tête et grogna un salut. Johanne haussa les sourcils. D'habitude, le journaliste flirtait avec elle. Le téléphone sonna, et elle répondit. Elle oublia aussitôt le comportement anormal de Stéphane.

Quant à lui, il prit place à son bureau. Quelques collègues vinrent le voir pour discuter des événements de la veille. Devant les réponses froides et évasives de Stéphane, ils comprirent vite qu'il valait mieux le laisser seul. Il put donc travailler en paix le reste de l'avant-midi. Travailler n'était peut-être pas le mot juste. Il pianota un peu sur son clavier, relut certaines phrases et fit même quelques corrections, mais l'essentiel de ses réflexions tournait autour de ce changement de corps.

Toutes les demi-heures, Stéphane se rendait aux toilettes pour s'assurer qu'il ne rêvait pas, que tout cela était bien réel. Chaque fois, la dure réalité le frappait de plein fouet, alors qu'il se regardait dans le miroir : son apparence avait bel et bien changé.

Un peu avant 11 heures, il en vint à la conclusion que si personne ne voyait le changement, cela signifiait que sa raison lui faisait défaut. Il prit donc l'initiative d'appeler Jean-François. Après tout, ils avaient passé la soirée ensemble, il pourrait sans doute l'aider à comprendre ce qui clochait.

Le téléphone sonna cinq fois. Malgré lui, Stéphane agrippait le téléphone un peu plus fort à chaque sonnerie. Enfin, au sixième coup, Jean-François répondit. Sa voix était pâteuse : une autre victime de la gueule de bois. En trébuchant sur chaque mot, il accepta l'invitation pour le lunch au *Rendez-vous*, un petit bistró qu'ils fréquentaient régulièrement.

Stéphane devait attendre encore une heure avant la rencontre. Son métier lui avait permis de cultiver sa patience, mais cette heure passa comme une longue torture. Jamais auparavant il n'avait ressenti que le temps se jouait de lui. Obnubilé par l'idée qu'il occupait peut-être le corps d'un autre, il ne pouvait se concentrer sur sa tâche.

Il se rendit au restaurant bien avant l'heure convenue. Il s'installa sur une banquette non loin de l'entrée. De sa position, il voyait tous ceux qui arrivaient. De la sueur perlait sur son front. Il l'essuya avec une serviette en papier, non sans éprouver un léger malaise en touchant ce front humide qu'il ne reconnaissait pas.

Stéphane attendait depuis un long moment lorsque son ami entra dans le restaurant d'une démarche incertaine. Son visage était blanchâtre. Il regarda à droite, à gauche. Stéphane suspendit son souffle, et il y eut un instant de flottement. Jean-François posa son regard sur lui et vint s'asseoir à sa table. Stéphane expira bruyamment par le nez, contrarié. Il se dit qu'il devait vraiment être fou.

— Qu'est-ce qui se passe avec toi, mon Steph ? demanda Jean-François. T'avais l'air bizarre au téléphone. Un problème ?

Stéphane rit doucement et haussa les sourcils.

— Je ne sais pas. Je pense que je perds la raison. Mais dis-moi, tu ne trouves pas que j'ai changé ? Je veux dire, physiquement ?

Jean-François regarda son ami avec attention. Il ne voyait visiblement pas où l'autre voulait en venir. Il tenta tout de même de trouver un changement chez son collègue.

— Non… pas vraiment.

— C'est vraiment important, insista Stéphane en se penchant sur la table jusqu'à ce que son front ne soit plus qu'à quelques centimètres de celui de son compagnon. Regarde bien. Tu ne vois rien de différent ?

— Je te l'ai dit. T'es le même que d'habitude. Qu'est-ce qui se passe ? Ce n'est pas une raison pour me réveiller un samedi matin.

— Non. Désolé. C'est juste que… Tu vas me trouver con, mais j'ai l'impression de ne pas être le même que d'habitude.

Jean-François se détendit. Il rit doucement.

— On dirait que toi aussi, tu as bu une bière de trop. Faut dire que t'as eu toute une journée.

— Pourtant… En tout cas, je vais arrêter de t'embêter. Le pire, c'est que j'ai du mal à me souvenir de ce que j'ai fait hier.

Jean-François fronça les sourcils et appuya son index sur sa lèvre inférieure.

— Ça t'arrive souvent d'oublier des choses ?

— Non. De toute façon, je ne les ai pas oubliées. C'est plus comme un rêve. Tu sais, quand tu te réveilles et que tu te souviens de ce qui s'est passé, mais que les détails sont flous. Je me souviens que je me suis levé tard hier. Ma journée n'était pas très chargée. J'ai dîné avec Valérie avant qu'elle ne parte pour son congrès à Montréal. Après… Je me souviens que je devais rencontrer un infirmier pour mon enquête sur les hôpitaux, mais il s'est décommandé à la dernière seconde. C'est juste après que j'ai reçu l'appel pour aller à Robert-Giffard. Là, mes souvenirs deviennent troubles. Je me suis stationné, un peu à l'écart, parce qu'il y avait un cordon de sécurité. Un policier tentait de discuter avec l'aliéné. Lui, il était au troisième étage. Il était assis sur le rebord de la fenêtre, et ses pieds battaient dans le vide. J'ai… j'ai eu l'impression qu'il me regardait. Il m'a salué de la tête et il s'est lancé dans le vide.

— Avec la distance, t'as pu imaginer ça. Peut-être qu'il a fait le geste, mais pas nécessairement pour toi. Il devait y avoir d'autres personnes : des ambulanciers, des policiers, du personnel de l'hôpital…

Stéphane continua d'une voix blanche, sans réagir aux paroles apaisantes de son ami.

— Après, je ne me souviens plus de rien jusqu'au moment où j'ai écrit l'article.

— Ça doit être le choc. C'est quelque chose de voir quelqu'un se suicider sous ses yeux.

— Peut-être. Mais je suis sûr qu'il m'a vu. Il a dû bouger la tête. Les probabilités qu'il se tourne vers moi, complètement à sa gauche, presque derrière lui, étaient nulles. Pourtant, j'ai senti son regard sur moi.

Jean-François fit un sourire qui se voulait rassurant. Toutefois, on voyait bien que lui-même commençait à être troublé. Il secoua la tête.

— Aïe ! c'est vraiment spécial ce que tu me racontes là. Si tu veux mon avis, tu devrais te reposer un jour ou deux. Je crois que ça t'a affecté plus que tu ne le crois.

— Ouais, t'as probablement raison. C'est tellement confus dans ma tête…

Ils mangèrent ensuite, en silence, comme si un mur invisible les séparait. Dès qu'il eût terminé son assiette, Jean-François retourna chez lui. Ce fut à peine si Stéphane le salua. Le journaliste se retrouva seul devant un dessert qu'il ne désirait pas manger. Une foule d'idées contradictoires lui traversaient l'esprit. Il admettait toutefois que Jean-François devait avoir raison. Les cauchemars de la veille l'avaient probablement marqué aussi. Il laissa sa tarte au sucre sur la table sans même l'entamer et se rendit au comptoir pour payer son repas.

Une serveuse aux cheveux grisonnants vint le voir pour lui dire de patienter un instant. Il s'assit sur le tabouret et prit le journal distraitement. Après tout, il ne l'avait pas encore lu. Son attention fut captée par la couverture. Il retint un cri. En haut du titre, « *Un fou fait le grand saut* », il y avait un portrait : le sien. Ou plutôt l'apparence qu'il croyait avoir.

Une succession d'images défila dans sa tête. Il revit mentalement les événements de la veille.

L'homme gît sur le sol, mort. Son corps présente de multiples fractures, et son crâne est fracassé. Malgré les avertissements du policier, Stéphane marche dans le sang et se penche sur le défunt. Il ne sait pas pourquoi il le fait, mais il ne peut s'en empêcher. Il inspecte le corps. Même s'il sait que c'est impossible, il a l'impression qu'il bouge. Ça devrait l'effrayer, mais il ne ressent rien, comme s'il était un simple spectateur dans son corps. Au loin, les ambulanciers arrivent pour prendre le corps. Le cadavre ouvre la bouche. Stéphane en est certain. Il crie. Du moins, il tente de le faire. Stéphane commence à éprouver de la douleur, timide au début mais de plus en plus franche. Stéphane tombe à genoux. Il sent quelque chose qui se fraie un chemin dans les orifices de son visage. Des êtres invisibles qui violent sa bouche. Ses narines. Ses oreilles.

Quelqu'un le repousse. On le met à l'écart. Stéphane ne voit que le sang. Le sang… et au-delà, loin, très loin, un ambulancier qui lui parle et qui lui met une couverture autour des épaules. Stéphane n'entend rien. L'impression de viol se fait plus forte. Les choses se déplacent jusqu'au fond de sa gorge, où elles se regroupent pour former une grosse boule pâteuse. Stéphane tente de la recracher. Mais déjà, la substance lui agresse le palais. Stéphane se laisse tomber, les mains autour de la gorge. La chose commence à monter, lentement, d'abord, puis, de plus en plus vite. Stéphane est déchiré par la douleur, qui le vrille de toute part. L'ambulancier appelle à l'aide. Stéphane l'entend à peine. Il se traîne à quatre pattes et vomit à gros jets tout ce qu'il a dans le ventre. À la fin, il n'y a que de la bile. Il s'efforce de vomir encore. Ça fait mal, mais il refuse d'arrêter. Ça n'arrête pas la chose. Elle continue son chemin jusqu'à la tête de l'homme. Et s'arrête. La douleur laisse place à une espèce d'euphorie, à une douce caresse, à un frisson qui parcourt le corps de Stéphane en entier.

Il se relève et essuie sa chemise comme il le peut.

— Ça va ? demande l'infirmier, visiblement inquiet.

— Oui, dit Stéphane d'une voix qui n'est pas la sienne.

Il veut crier le contraire, mais se contente de s'asseoir à l'écart.

Des dizaines de voix se mettent à parler en même temps dans sa tête. Dans cette cacophonie, il parvient à saisir quelques mots. Puis, il distingue des phrases. Tout devient plus clair mais aussi plus troublant. Il tente de crier pour couvrir les voix. Le cri se répercute dans sa tête, mais aucun mot ne franchit sa bouche.

— La ferme ! lui crie une voix autoritaire.

Stéphane regarde autour de lui. Personne à portée de voix. Aucun doute, la voix provient de l'intérieur de sa tête.

— Ne crie surtout pas ! dit une voix de femme.

— S'il te plaît, arrête, dit un enfant, ça nous fait mal quand tu cries.

— Oui, l'autre criait, dit une voix d'homme. Il criait tout le temps. Alors, ils l'ont enfermé. Et tu vois ce qui lui est arrivé…

Malgré lui, Stéphane tourne la tête vers le cadavre. Les ambulanciers l'ont emmené, mais les traces de sang restent bien visibles.

— … maintenant, il a compris, complète l'homme.

— Ils mentent, dit une petite voix nerveuse, au bord de l'hystérie. Ils font mal. Ils me faisaient mal !

— Ne l'écoute pas, continue l'homme. Calme-toi.

— Lui, dit une autre voix, il n'a rien compris. S'il nous avait écoutés au lieu de hurler comme un dément, il aurait su que nous étions ses meilleurs amis.

— Moi aussi, j'ai crié, dit l'enfant. Ils m'ont fait souffrir. Mais j'ai compris qu'ils voulaient mon bien. Notre bien à tous.

— Mais il va comprendre, dit l'homme. Ici, nous pouvons le faire taire. Nous le relâcherons lorsqu'il sera prêt.

— Non, laissez-moi ! dit l'hystérique avant de se taire tout à fait, comme s'il venait d'être bâillonné.

— Il est avec nous pour toujours, annonce une voix lointaine.

— Pour toujours, reprennent en cœur les autres voix.

Maintenant, Stéphane ne peut différencier les voix. Elles sont si nombreuses ! Et elles parlent si vite ! Il ne peut même pas réfléchir normalement.

— Toi aussi, Stéphane, tu vivras avec nous. Toutes nos connaissances vont faire partie de toi, sous peu. Laisse le temps à la symbiose de se faire. En échange, nous voulons vivre par tes sens.

— Oui. Allons manger.

— Une pizza, j'aime la pizza.

— Tais-toi. Nous avons voté pour la lasagne, alors va pour la lasagne. Au fait, t'as une femme, Stéphane ? Parce que le dernier n'avait pas beaucoup de contacts avec les membres du sexe opposé, si tu vois ce que je veux dire.

— Oui, ça fait un an que nous n'avons pas baisé. Tu peux arranger ça ?

— Laissez-le un peu tranquille ! Stéphane, tu es désorienté en ce moment, non ? C'est normal. Tu n'es pas habitué à nous. Tout va se replacer. Bientôt. La fusion avec ton corps va se faire dans les prochaines heures, les prochains jours. Nos personnalités seront intégrées à la tienne : nos souvenirs, nos connaissances, nos désirs... Tout cela fera partie de ta vie.

— Si tu ne gâches pas tout. Ne crie jamais avec nous, sinon la fusion sera incomplète, et ils vont t'enfermer, toi aussi.

— Quand la fusion est incomplète, nous pouvons faire mal. Très mal.

— Mais nous n'aurons pas à nous rendre jusque-là, non ? Tu vas être bien sage, et tout va bien aller. D'ici quelques jours, ta vie va reprendre son cours normal.

— Personne ne verra la différence. Tu seras seulement Stéphane. Un Stéphane amélioré, avec plus de connaissances.

— Monsieur, vous êtes sûr que ça va ?

Stéphane ouvre les yeux pour se retrouver face à face avec l'infirmier.

— Quoi ?

— Je vous demandais si ça allait. Vous aviez l'air de marmonner quelque chose.

Stéphane se masse les tempes. Il commence à avoir mal à la tête. *Dis-lui que tout va bien.*

— Tout va bien, merci.

Juste un petit mal de tête, je crois que je ferais mieux d'aller chez moi.

— Ça doit être le choc. J'ai un petit mal de tête, rien de sérieux. Je vais rentrer chez moi.

Sans un dernier regard pour l'infirmer, Stéphane se dirige vers sa voiture.

Très bien, tu es coopératif. Nous allons très bien nous entendre.

Il prend place sur le siège du conducteur. Cherche ses clés un moment. Puis, il démarre. Il doit se changer avant d'écrire son article.

— Monsieur ?

Stéphane sortit de sa rêverie et se retrouva face à face avec la serveuse. Il mit un moment à se rappeler où il était. Il la paya et laissa un généreux pourboire. La serveuse le regarda d'un air étonné. Aucune importance, il s'en fichait. À vrai dire, nous nous en foutions. Nous prîmes le journal afin de pouvoir le lire plus tard. Nous aimons beaucoup nous tenir au courant de ce qui se passe.

15 : L'Arracheur de rêves (8)

Je suis fou.

Ce fut la première pensée consciente de Marc-Antoine au sortir du sommeil. En fait, il y avait peut-être même pensé avant de se réveiller. Ses rêves, il y voyait une signification. Presque tous comportaient un questionnement sur l'identité. Voilà, il était fou.

Ou hanté. Il sentait bien que ce n'était pas ses rêves mais ceux d'un autre. Dans ces songes, il devenait quelqu'un d'autre. Et on l'observait. On jouissait de ses réactions. On s'en nourrissait. Mais qui ? Quoi ? La morte ? L'ancienne locataire ? Était-ce elle qui le hantait ?

Il regarda l'heure sur sa montre : midi quinze. Mais quel jour ? Mardi, comme il le croyait. Ou mercredi ? À moins qu'il n'ait perdu plus d'une journée, cette fois !

Avant même de se lever du lit, Marc-Antoine se résolut à enquêter sur la mort de la dernière locataire. Peut-être s'agissait-il d'une âme en peine et qu'il devait lui rendre la paix d'esprit. Marc-Antoine ne savait pas s'il devait en rire. Seul le goût amer des rêves l'empêchait de repousser l'hypothèse du fantôme.

Avant d'aller trop loin dans ses idées fantasques, il se leva. Une forte odeur de sueur rance lui vint aux narines. Il leva le bras et sentit son aisselle. Aucun doute, l'odeur venait bien de lui. Depuis combien de jours ne s'était-il pas lavé ?

Il se rendit dans la salle de bains et prit une longue douche d'eau chaude. Il se savonna soigneusement et se lava les cheveux. Lorsqu'il eut terminé, il se sentit mieux, comme s'il repartait à neuf. Il enfila des vêtements et sortit aussitôt sans même déjeuner. Destination, l'Université Laval.

Il marcha jusqu'à l'arrêt et prit l'autobus 7, qui allait à Sainte-Foy. Le véhicule était presque vide. Comme toujours, Marc-Antoine prit une place individuelle sur le bord d'une fenêtre et s'absorba dans la contemplation des rues et des maisons qui défilaient devant lui. Malgré le temps maussade, il se sentait bien. Pour la première fois depuis quelques jours, il ne ressentait pas la fatigue. Il en vint même à remettre en question son projet d'investigation.

Il descendit tout de même à l'arrêt en face de l'université. Malgré ses récentes pensées rassurantes, il voulait en avoir le cœur net. Il marcha rapidement jusqu'à la bibliothèque, presque désertée durant la période estivale. Dans la section des périodiques, Marc-Antoine ne croisa qu'un vieil homme en train de lire le journal du jour et la préposée, qui faisait du classement.

Marc-Antoine prit la pile du *Journal de Québec* des deux derniers mois – les exemplaires qui n'étaient pas encore transformés en microfiches – et s'assit à une table. Il écarta les plus récentes éditions et se concentra sur la période allant de deux à six semaines avant son arrivée au logement. Il dut regarder le journal du jour pour s'assurer de la date. Mercredi ! Il avait perdu une autre journée. Il chassa son malaise en s'absorbant dans sa recherche. Il s'intéressa surtout aux premières pages présentant les morts, les crimes et les faits divers. Il mit un moment avant de trouver un article qui l'intéressait. Un entrefilet, en fait. Le journaliste y indiquait que Marie-Ange Raymond était morte dans son sommeil. L'adresse indiquée était celle de Marc-Antoine. De plus, il semblait que le corps n'ait été retrouvé que plusieurs jours après la mort, lorsqu'un voisin s'était plaint de l'odeur à la police.

Marc-Antoine donna une tape de satisfaction sur la table. Voilà. Morte dans son sommeil. C'était probablement d'elle que venaient ses rêves étranges. Il ne restait plus qu'à trouver un moyen pour la calmer. Malgré une recherche dans les autres journaux, Marc-Antoine ne trouva pas d'informations supplémentaires sur cette mort : pas de meurtre qui demanderait à être vengé, pas d'histoire louche, rien.

Marc-Antoine se résolut à interroger les voisins, en commençant par Tom, le mystérieux Fumeur qui passait son temps sur la galerie à enfiler les clopes. Si quelqu'un avait vu quelque chose, c'était lui. Marc-Antoine espérait seulement qu'il réussirait à le faire parler.

Tom était toujours assis à son poste, une cigarette à la bouche, son thermos rouillé au sol, entre ses pieds. Marc-Antoine se dirigea droit vers lui.

— Connaissiez-vous madame Raymond ? attaqua d'emblée Marc-Antoine, qui n'avait pas l'intention de ruser.

Tom se retourna vers lui, le regard vide, comme s'il essayait de se souvenir de lui-même. Puis, ses pupilles prirent vie.

— La vieille qui vivait dans votre logement. Oui. Elle allait se transformer, mais elle est morte dans le cocon.

Marc-Antoine fit mine de ne pas l'entendre.

— Je… Est-ce qu'elle avait des problèmes ? Des choses non réglées ?

Tom se mit à rire comme un dément. Il en échappa sa cigarette, qui roula jusque dans la cour. Il s'en alluma une autre en souriant, comme au souvenir d'une blague qu'il était seul à comprendre.

— Tu ne lui as jamais parlé ? demanda Marc-Antoine que les réactions de son interlocuteur rendaient de plus en plus nerveux.

— Cette vieille folle ? dit l'autre en haussant la voix. Je ne l'ai presque jamais vue. Elle ne sortait jamais, comme la plupart de ceux qui vivent ici.

Il dit cette dernière phrase en criant presque, en direction des fenêtres autour d'eux.

— Non, elles se transforment toutes. Comme moi. Comme toi.

Marc-Antoine remercia son voisin et retourna vers son logement. Il entendit alors l'autre murmurer.

— Tu penses que c'est la vieille qui t'envoie ces rêves ?

Marc-Antoine se retourna, les yeux ronds.

— Tu te trompes, continua Tom, énigmatique. Ça a commencé avant. Bien avant.

Il regarda autour de lui, comme s'il était épié. Puis, il s'en alla, sans dire un mot de plus.

Marc-Antoine resta un moment bouche bée. Voyant que l'autre n'allait pas revenir, il retourna chez lui. En chemin, il vit Gustave, qui faisait du ménage près de sa fenêtre. L'homme était de dos, mais Marc-Antoine s'attendait à tout moment à ce qu'il se retourne et à ce qu'il lui fasse un clin d'œil. Comme dans ses rêves. Il en frissonna.

16 : Le Rêve est
une éternité perdue

Le Rêveur parcourait la route qu'il avait déjà foulée des milliers de fois. Comme chaque nuit, il venait de renaître sur les rives fertiles du Kuth-Nucktuk. Lorsqu'il était jeune, des dizaines de voyageurs sillonnaient de conserve les méandres du grand fleuve ; désormais, il poursuivait seul son chemin.

Un autre que lui n'aurait pas manqué d'admirer le spectacle des luxuriantes frondaisons, du fleuve aux eaux émeraude, étales sous l'azur d'un ciel clair. Pourtant, le Rêveur n'accordait aucune importance à tout cela. Il marchait à grands pas vers Rynouk, la capitale, afin de s'embarquer une nouvelle fois sur un des immenses bateaux blancs qui voguaient vers le ciel.

Rien ne semblait avoir changé depuis sa dernière visite, rien si ce n'était un petit sentier presque invisible qu'il remarqua sur sa gauche. Il s'en approcha lentement. S'agissait-il réellement d'un sentier ? Le chemin était obstrué par la végétation, route ancienne sur laquelle la nature avait repris ses droits. En dépit de sa grande connaissance des contrées oniriques, le Rêveur ne put se souvenir d'aucune ville ou village en direction desquels ce sentier aurait pu mener. Depuis des années, en fait, ses rêves ne lui apportaient plus aucune surprise. Il connaissait par cœur le dédale de Rynouk la grande et avait visité des centaines de fois Tykap et ses pyramides colossales, Pourlosme, qui brillait de mille feux autant le jour que la nuit et Calanke, la cité souterraine. Et voilà que, enfin, il avait la chance de découvrir de nouveaux territoires...

Il s'engagea sans attendre sur le sentier tortueux.

Le Rêveur fut plus d'une fois sur le point de renoncer à son aventure, tant la route qu'il empruntait était escarpée. Il continua néanmoins, curieux de savoir ce qui l'attendait au bout. Le Rêveur fit plusieurs haltes afin de contempler le paysage qui l'entourait. La végétation n'était pas la même que sur les rives du Kuth-Nucktuk ; les arbres étaient plus gros et plus grands, et des fleurs hautes comme des hommes poussaient en bordure du sentier. Chacune des fleurs comportait de multiples nuances de rouge, de bleu ou de violet. Elles avaient la forme de marguerites géantes, et leurs parfums sucrés embaumaient l'air. Au loin, dans la direction que suivait la route, deux portes d'ivoire hautes de dix mètres dominaient le paysage.

Enfin, le Rêveur put apercevoir la ville qui se dressait derrière les portes. Il remarqua d'abord l'immense palais de cristal auprès duquel tous les châteaux d'Europe auraient paru insignifiants, ainsi que le temple en or massif qui semblait avoir été érigé par les dieux eux-mêmes. Les rayons du soleil qui se reflétaient sur la grande tour du château aveuglèrent le voyageur pendant quelques instants. Les murs de chaque maison semblaient incrustés de pierres précieuses. Partout où il posait son regard, les richesses abondaient. Même Rynouk la grande ne pouvait rivaliser avec une telle splendeur.

Lorsqu'il eut franchi les portes d'ivoire, le Rêveur se trouva face à une foule en liesse composée de petits hommes incroyablement sveltes, dans les yeux desquels brillait une joie enfantine. Leurs visages présentaient des traits harmonieux et, hommes comme femmes, ils portaient une longue chevelure d'or qui retombait avec légèreté sur leurs épaules. Ils accueillirent le nouveau venu avec une exubérance désarmante. Le Rêveur les salua et se dirigea vers le palais pour rendre hommage au suzerain des lieux. Plus il se rapprochait du château et plus la foule était nombreuse à se presser autour de lui. Certains tenaient des instruments de musique et jouaient un hymne joyeux pour saluer le visiteur, qui appréciait grandement la joie contagieuse de ses hôtes.

Ce fut accompagné d'une centaine de ces petits hommes que le Rêveur pénétra dans le château. Si ce dernier était impressionnant vu de l'extérieur, il l'était davantage à l'intérieur. La lumière du soleil filtrait dans l'édifice à travers une multitude d'ouvertures dans lesquelles étaient enchâssés des panneaux de cristal multicolore. Partout où il posait ses yeux, le voyageur découvrait de nouvelles statues et de nouveaux ornements tous plus étonnants les uns que les autres. La foule attendait le Rêveur dans le hall lorsqu'il fit son entrée dans la salle du trône. À l'exception du suzerain, seuls des chats occupaient la pièce : de magnifiques félins qui se promenaient par centaines autour du monarque. Certains s'approchèrent du nouveau venu, allant même jusqu'à lui lécher les pieds. Dès qu'il vit le visiteur, le roi descendit de son trône et, à la surprise du Rêveur, s'agenouilla devant lui.

— Je suis Tillodiam, souverain de la cité de Turcosy. Mon père m'a raconté qu'un des tiens était déjà venu, il y a de cela un millénaire, mais je croyais qu'il s'agissait d'une légende pour enfants.

— Allons, Seigneur, dit le voyageur, vous n'avez pas à vous agenouiller devant moi. Je ne suis qu'un être errant. À Rinouk, sur les rives du Kuth-Nucktuk, on me nomme Talas.

— Talas, je suis infiniment honoré de ta visite ! J'ai déjà entendu parler de Rinouk, mais voilà plusieurs siècles qu'aucun de mes sujets ne s'y est rendu.

La discussion se poursuivit ainsi durant une grande partie de la journée. Le roi interrogea Talas sur Rinouk et sur tous les endroits où ses périples l'avaient mené. Talas lut dans les yeux du suzerain que lui-même était atteint par la fièvre du voyage, mais que son statut l'empêchait d'y succomber. Il se pressa d'obtempérer à ses désirs et relata dans les moindres détails ses nombreuses pérégrinations.

Le roi fit ensuite découvrir à Talas les merveilles sans nombre que recelait la cité de Turcosy. Les deux hommes firent une longue promenade, entourés des félins royaux, qui accompagnaient le roi partout. Leurs miaulements ponctuaient les discours du suzerain, qui se faisait un devoir de tout montrer à son visiteur. Ils commencèrent par la cour intérieure, qui comprenait plus d'espèces végétales différentes que Talas ne pouvait en imaginer. Ses yeux furent éblouis par l'audacieux mélange de couleurs vives qui aurait pu paraître agressif, n'eût été de l'harmonie de l'ensemble. Ils se promenèrent ensuite dans la ville entre les maisons de saphirs, de diamants et d'émeraudes sur lesquelles le temps semblait n'avoir aucune prise. Ils visitèrent aussi le temple, qui était encore plus richement décoré que le reste de la ville. L'intérieur et l'extérieur étaient en or, des planchers aux plafonds. Talas fut présenté au grand prêtre, muet d'émotion ; c'est à peine si ce dernier trouva la force de murmurer qu'il se voyait enfin récompensé pour toute une vie de foi et de dévotion. Çà et là, dans le temple, se dressaient des idoles multiformes représentant le chat dans toutes ses incarnations possibles et imaginables. Au centre de la salle, une statue de la hauteur d'un homme, recouverte d'une fine draperie de soie noire, intrigua grandement le Rêveur. La visite se poursuivit sans qu'il ose demander au souverain ou au grand prêtre ce que le voile soyeux dissimulait sous l'ordonnancement complexe de ses plis de ténèbres.

Lorsque la visite fut terminée, le roi organisa une grande fête en l'honneur de son invité. Des milliers de petits hommes envahirent la salle du trône, et un bal y fut donné. Des musiciens interprétaient des ballades mélodieuses que Talas entendait pour la première fois ; c'était une musique douce, harmonieuse, qui semblait provenir d'un autre univers. On le sollicitait de toutes parts. Talas dansa, chanta et but pendant des heures. Les chats s'assirent sur des coussins et observèrent les réjouissances humaines d'un œil narquois. Alors que la fête battait son plein, Talas put contempler le coucher du soleil depuis l'intérieur du palais.

Il s'amusait tant qu'il en oubliait presque son autre vie dans son monde, là où il n'était que Carl, un jeune chômeur. Mais l'Appel le ramena à la raison ; son corps terrestre était sur le point de se réveiller. Il prit congé du roi, mais il dut lui promettre de revenir le lendemain pour un immense banquet qui serait donné par le peuple de Turcosy en son honneur. La fanfare de cors et de trompettes le suivit jusqu'aux portes d'ivoire. Une délégation de petits hommes accompagna Talas sur le chemin du retour afin de défricher le sentier qui lui avait causé tant de tracas.

Lorsqu'il eut rejoint les rives du Kuth-Nucktuk, Talas se retourna vers le petit peuple qui le regardait partir et, leur adressant de la main un signe fraternel, il affirma qu'il serait de retour dès le lendemain.

Le soleil se levait à peine lorsque Talas se réveilla sur les rives du Kuth-Nucktuk. Couché sur le sable, il sentait l'eau lui chatouiller les pieds. Il ne prit pas la peine de contempler la beauté du ciel embrasé et il partit sans plus tarder sur la route longeant le fleuve. Après quelque temps, il commença à distinguer les hautes tours de Rynouk ; dans son empressement, il avait dépassé le sentier conduisant à Turcosy. Il dut revenir sur ses pas, et ce n'est qu'en regardant très attentivement qu'il distingua l'amorce d'un timide sentier. Les arbres coupés par les petits hommes avaient repoussé, plus grands et plus forts, et le chemin semblait plus impraticable encore que la veille. Cela ne posa aucun problème à Talas qui, dans l'enthousiasme du retour, survola littéralement les obstacles sur son chemin. Les oiseaux voltigeaient toujours dans le ciel, les fleurs embaumaient le même parfum exotique que dans son souvenir et la douce chaleur du soleil caressait son corps. Parvenu au sommet de la colline, il aperçut enfin les portes d'ivoire. À cette vue, il accéléra encore le rythme de sa course.

À peine franchit-il les portes qu'il remarqua de grands changements... Cette fois-ci, Talas ne fut pas accueilli par les danses et les chants. À vrai dire, les rues étaient vides, et il ne trouva aucune trace de la présence du petit peuple. Il resta un long moment à regarder autour de lui ; de multiples fissures lézardaient les murailles altières du château de cristal, et l'or des colonnes du temple était caché par le lierre. Des maisons de rubis, d'émeraudes et de diamants, il ne restait parfois que les fondations. La ville semblait abandonnée. Seuls quelques chats s'y promenaient encore, indolents. Le Rêveur dirigea alors ses pas vers le château du roi. Là aussi la désolation régnait en maîtresse souveraine. Talas approcha lentement de la salle du trône. Dès qu'il en eût passé le seuil, des centaines de chats s'enfuirent et disparurent par les brèches qui s'ouvraient dans les murs. Il dut fouler les os épars d'une multitude de squelettes blanchis par le temps avant de parvenir jusqu'au trône terni. Sur celui-ci siégeait un squelette que la corruption ambiante avait relativement épargné : sur sa tête, Talas reconnut la couronne que Tillodiam portait, la veille encore.

Talas contempla les ossements qui l'entouraient. Leur nombre dépassait l'imagination, et ils semblaient reposer en ces lieux depuis des lustres. Le voyageur ne parvenait pas à comprendre quelle catastrophe avait bien pu s'abattre sur le royaume de son ami le roi Tillodiam. Il finit par abandonner la scène funèbre et se dirigea vers le temple. Il se heurta aux portes d'or. Talas tenta vainement de les ouvrir ; elles demeuraient hermétiquement closes. Après avoir inutilement renouvelé ses efforts, il inspecta les murailles extérieures du bâtiment. Il parvint, après de longues recherches, à trouver une brèche juste assez large pour s'y glisser. Un air vicié stagnait à l'intérieur du temple, comme si nul n'y avait pénétré depuis l'Antiquité. Talas vit que la mystérieuse statue qu'il avait aperçue lors de sa première visite se dressait encore au milieu du temple et que le voile qui la recouvrait toujours était défraîchi et abîmé. Curieux de connaître la nature exacte de l'objet, il souleva le drap et découvrit une idole humaine. Une idole à son image. Au pied de la statue, on avait déposé avec un soin évident quelques tablettes d'argile venues d'une autre époque. Malgré leur apparente fragilité, elles ne se dégradèrent pas lorsque Talas les prit. Le Rêveur s'installa dans un coin du temple et s'adossa au mur afin de les lire. Voici ce qui y était écrit :

Il y a maintenant un an, le dieu Talas vint nous visiter sous les traits d'un simple voyageur. Sa venue fut interprétée comme le présage d'une prospérité sans précédent pour le royaume de Turcosy, et Talas fut fêté par le peuple tout entier. Il nous promit d'être présent de nouveau le lendemain, et nous affirma qu'il assisterait au grand banquet que le roi Tillodiam donnerait en son honneur. Hélas ! il ne s'y montra point, et nul ne le vit dans tout le royaume. Notre souverain en fut fort contrarié, mais il émit l'hypothèse que le temps, sans doute, suivait un cours quelque peu différent chez les dieux et chez les mortels. Durant près de six lunes, notre suzerain fit donner chaque nuit un nouveau ban-

quet dans l'espoir que le dieu revienne, mais sans succès. Le roi Tillodiam se retira alors dans ses appartements et moi, Akhilash, grand prêtre de Turcosy, je fus le seul à pouvoir, parfois, le rencontrer. Après plusieurs mois de sombres méditations, notre vieux souverain annonça sa décision au peuple : l'ensemble des habitants de Turcosy allait devoir assister aux nouvelles festivités données au palais en l'honneur de Talas. Interdiction formelle était faite à quiconque de se sustenter jusqu'au retour du dieu. Le peuple de Turcosy chanta et dansa pendant des jours et des nuits entières : un à un, les sujets du roi tombèrent d'épuisement et moururent sans voir revenir le dieu Talas et sans que faiblisse la résolution du roi. Notre souverain vient à son tour de rendre l'âme, et je suis à présent le dernier habitant de Turcosy. Je ne saurais tarder à rejoindre les miens...

Talas se sentit envahi par un désespoir sans borne : l'extermination d'un peuple tout entier pesait sur sa conscience. Il avait déjà vu des différences dans l'écoulement du temps entre les diverses régions du continent onirique, mais c'était la première fois qu'il voyait le temps filer à une telle vitesse. Une nuit... une éternité. Déjà, il ressentait l'Appel : il allait devoir bientôt regagner la rive du Kuth-Nucktuk avant que son corps terrestre ne se réveille. Il se releva en hâte et se dirigea vers la brèche par laquelle il avait pénétré dans le temple. Mais avant qu'il n'ait pu l'atteindre, une multitude de chats lui barrèrent la route. À leur tête se dressait un énorme chat gris, qui regarda longuement le voyageur tout en se léchant les pattes antérieures. Après un bâillement félin, le chat s'adressa à l'humain :

— Ainsi donc, les vieilles légendes disaient vraies... le dieu Talas existe bel et bien ! Tu n'aurais jamais dû revenir. Tu as apporté le malheur à ce peuple qui savait si bien prendre soin de nos ancêtres, il y a des générations de cela. Les hommes ont quitté la ville, et nous avons pris leur place. Depuis, ton histoire circule, pour demeurer bien vivante dans notre mémoire. Nous avons juré que si tu osais revenir, nous vengerions ce peuple. Tu vas mourir !

Talas tenta vainement de s'expliquer. Le roi des chats lui tourna le dos avec dédain et se retrancha derrière ses troupes. Il eut ainsi une place de choix pour observer la suite des événements. Talas essaya de se frayer un chemin à travers les rangs serrés des chats. Sa charge inopinée prit par surprise les gros chats tigrés qui formaient l'avant-garde de l'armée féline. L'un d'entre eux, parmi les plus massifs, fut projeté contre le mur par un coup de pied de l'humain. Une fois l'effet de surprise passé, les chats se précipitèrent sur lui. Alors que certains s'attaquaient aux chevilles divines dans le but de faire tomber Talas, un petit siamois se jeta sur le dos du dieu et lui laboura les flancs. L'homme se débattit avec l'énergie du désespoir, mais les chats étaient de plus en plus nombreux. Talas perdait à présent son sang par de multiples blessures. Il tenta d'étrangler le siamois qui continuait à lacérer ses chairs, mais les autres chats profitèrent de ce moment de vulnérabilité pour lancer une charge dévastatrice. L'homme tomba sur le sol, forcé à l'immobilité par la masse compacte et grouillante : siamois, espagnols, persans et chats de gouttière ne formaient plus qu'une seule entité. Au-delà de la douleur que lui infligeaient les crocs et les griffes, il sentit faiblement le signal qui lui rappelait qu'il devait regagner son corps. Peu après, il poussa son dernier soupir dans ce temple que l'ancien peuple des petits hommes lui avait dédié.

17 : L'Arracheur de rêves (9)

Marc-Antoine voyait encore la cité de Turcosy. Il ressentait les griffures des chats. Il... Il rêvait.

En ouvrant les yeux, il vit son salon sans vraiment le reconnaître. Il mit un moment à se souvenir de son rêve. Il avait dormi sur le divan du salon, n'osant plus se coucher dans ce lit où Marie-Ange Raymond était morte. Juste à la pensée qu'il avait dormi sur les lieux mêmes où elle avait... Ses mains se mirent à trembler. Il imaginait cette Marie-Ange, le visage émacié, le corps secoué de spasmes, le regard embrumé par la morphine. Bien vite, ce fut le visage de son père qui s'imposa, et il pleura. Il lui manquait tellement ! Il avait tant de choses à lui dire !

Il essuya ses larmes du revers de la main et passa par la salle de bains pour se moucher. Ensuite, il se fit un petit déjeuner. Il avait bien l'intention d'écrire, après plusieurs jours d'inactivité. Il comptait se servir de ses émotions récentes et les exorciser par l'écriture.

De la façon dont sa table de travail était installée, il n'avait qu'à tourner la tête pour observer les gens par la fenêtre. Son regard croisa celui de la femme qui vivait en face de chez lui. Comme lors de la première fois où leurs regards s'étaient croisés, elle battit en retraite tout de suite après le contact visuel. Toutefois, elle revint quelques minutes plus tard. Marc-Antoine estima qu'elle avait environ son âge, peut-être le début de la trentaine. De petite taille, elle se démarquait par ses pétillants yeux noisette. Ses cheveux brun roux tombaient un peu en bas des épaules. N'eût été de sa chemise de nuit froissée et des cernes sous ses yeux, Marc-Antoine l'aurait trouvée attirante. Pourtant, ce n'était pas ça qui l'amenait à observer la femme. Il comprit enfin.

— Elizabeth, murmura-t-il.

Elle lui sourit, comme si elle avait entendu ce nom. Un sourire triste. Puis, elle s'éclipsa et referma les rideaux.

Marc-Antoine eut une furieuse envie d'aller la rejoindre. De lui parler. Qui était-elle ? S'appelait-elle Elizabeth ? Il ne bougea pas. Néanmoins, il continua à monter la garde. À un moment, deux personnes marchèrent dans la cour. Marc-Antoine les remarqua à peine tant il fixait la fenêtre aux rideaux tirés.

Il finit par accepter qu'elle ne reviendrait pas. Il se rassit devant son ordinateur et entreprit d'écrire, sans entrain. Ses idées étaient ailleurs. Il avança tout de même dans son histoire, écrivant quelques pages qui méritaient un bon polissage, peut-être même une réécriture complète.

Après le souper, il sortit sur son balcon. Il n'y avait personne dans la cour, à l'exception de Tom, immuable, en train de boire son café.

Malgré la répulsion que lui provoquait cet homme, Marc-Antoine décida de lui parler de nouveau. Il le salua. Cette fois, l'homme le reconnut aussitôt et lui retourna son salut. Il tremblait de partout. Sûrement à cause de la caféine et de la nicotine, se dit Marc-Antoine. En approchant, il vit de la peur dans les yeux de l'autre.

— C'est encore arrivé, dit Tom.

— Quoi ?

Il vrilla son regard dans celui de Marc-Antoine. Dans sa pupille, la folie et la peur se partageaient la place.

— Je me suis endormi.

Il ne laissa sortir cette phrase que du bout des lèvres, l'air hagard, comme si le fait de prononcer ces mots lui demandait un effort immense. Marc-Antoine ne comprit pas où l'autre voulait en venir. Tom dut le sentir, car il écarta les mains en signe d'impuissance avant de continuer.

— Je me suis transformé encore, comme quand j'étais jeune – il se mit à pleurer – et que j'ai tué mes parents. Du moins, mon père.

Il s'approcha de Marc-Antoine.

— Je l'ai mangé.

Marc-Antoine poussa une exclamation de stupeur. Il tenta de la transformer en éternuement ; il se rendit toutefois compte du peu de succès de son entreprise. L'autre ne sembla pas s'en préoccuper et reprit la parole.

— Du moins, je le crois. Est-ce que c'est la vérité ou un rêve ? Je ne sais pas. Je ne sais plus. Je ne suis même pas sûr que ce soit mon rêve !

Tom se mit à sangloter, le visage caché par ses mains jaunes de fumeur. Marc-Antoine profita de la confusion de son interlocuteur pour orienter la conversation.

— Parlant de rêve, j'en ai fait un bizarre. Il y avait une femme. Elle ressemblait beaucoup à ta voisine d'en haut. Sais-tu comment elle s'appelle ?

— Lise ?

— Tu es sûr que c'est son nom ? demanda Marc-Antoine, excité. Ce ne serait pas plutôt Liz, comme Elizabeth ?

— Désolé, elle s'appelle Lise, j'en suis certain. Lise Cormier.

Marc-Antoine pointa le logement de la femme.

— Tu parles bien de la femme qui vit ici, juste en haut ?

L'autre hocha la tête de haut en bas. Marc-Antoine se mordit le coin des lèvres, déçu. Tom reprit alors le contrôle de la conversation.

— Essaie de ne plus dormir. Mieux encore, quitte ce logement avant de ne plus être capable de te réveiller, comme nos voisines. Je le ferais bien, mais ma sœur me dit que le problème est dans ma tête et elle me donne des pilules. Elle ne veut pas me croire quand je dis que le proprio est une créature démoniaque. Mais je sais que j'ai raison. *Il est là. Il est toujours là. Dans chacun de mes rêves.* Et lorsqu'il croit que je ne le regarde pas, il rit. Il rit de moi. Il se nourrit de ma peur, il...

Il se leva brusquement et prit Marc-Antoine par les épaules. Il plongea son regard dans le sien jusqu'à ce que leurs nez se touchent. Marc-Antoine recula. L'autre secoua la tête, l'air visiblement déçu.

— Trop tard, ta transformation est bien amorcée.

Marc-Antoine se retourna pour regagner son logement.

— Toi aussi, tu crois que je suis fou ! lui cria Tom. Mais je suis peut-être le seul à comprendre ce qu'il essaie de faire. Si j'étais fou, comment je saurais que tu as rêvé que tu étais emprisonné dans un de tes rêves et que tu as été tué par des chats ? Comment je saurais que tu voulais que je te dise que la voisine s'appelle Elizabeth Tucker ?

Un frisson parcourut l'échine de Marc-Antoine. Il rentra chez lui sans se retourner. L'autre lui en avait dit plus que ce qu'il pouvait entendre pour l'instant. « Il est là. Il est toujours là. Dans chacun de mes rêves. » Les mots de Tom résonnaient sans cesse dans sa tête… prenant à chaque moment un peu plus de consistance.

Il s'assit dans le salon et mit un film dans le lecteur DVD. Le premier du bord. Sans que ça ne se fasse consciemment, il avait décidé de veiller. Toute la nuit s'il le fallait. Du moins, assez longtemps pour oublier les propos troublants de son voisin.

Marc-Antoine en était à son troisième ou quatrième film – il n'aurait su le dire tant il avait la tête ailleurs : tout pour oublier les paroles de Tom – et il somnolait. Sa tête se faisait de plus en plus lourde. Ses yeux se fermaient de plus en plus souvent. De plus en plus longtemps.

Puis, une sirène d'ambulance brisa le silence de la nuit. Marc-Antoine mit un moment à comprendre que cela ne venait pas de son film. Il se leva et regarda par la fenêtre. Des policiers se trouvaient déjà en face du logement voisin du sien. Gustave était à l'extérieur, à discuter avec les agents. Il semblait agité et gesticulait beaucoup. Les ambulanciers arrivèrent sur les lieux à leur tour.

Poussé par la curiosité, Marc-Antoine enfila un jean et un t-shirt, et sortit voir ce qui se passait. Il se dirigea vers Gustave, que le policier venait de quitter. Malgré le malaise qu'il ressentait envers son propriétaire, le jeune homme lui demanda ce qui se passait.

— Ce qui se passe ? demanda Gustave, paniqué. Un mort, voilà ce qui se passe.

— Un mort ?

— Oui, le locataire qui vit en dessous de moi. Charles, Charles Dumas.

Malgré son affolement apparent, Gustave semblait en parfait contrôle de lui-même. *Il joue la comédie*, ne put s'empêcher de penser Marc-Antoine.

Presque aussitôt, les ambulanciers sortirent du logement en portant un corps sur une civière, qui avait un masque à oxygène sur la bouche. Marc-Antoine blêmit ; il le reconnaissait parfaitement : le Rêveur. D'ailleurs, il présentait de nombreuses marques de griffures. Insensible à ce qui se passait autour de lui, Marc-Antoine approcha des ambulanciers, leur bloquant presque le chemin.

— Qu'est-ce qu'il a ? demanda-t-il.

— Dégagez du chemin, répondit l'ambulancier.

Marc-Antoine ne bougea pas.

— Est-ce qu'il est mort ?

— Non, il est dans un coma, mais on ne peut dire pourquoi. Partez, maintenant.

Marc-Antoine libéra la voie et retourna à son logement, comme un automate. Aucun doute, c'était bien Talas... Carl Dumais. Et si Tom avait raison... Et si Gustave était un monstre ? Pourquoi avait-il feint la panique ? Ne pas penser à cela. Ne pas...

Marc-Antoine voulut appeler sa mère. Il ferait mieux de dormir chez elle, de quitter ce lieu pour un moment. Cependant, il se sentait faible. Il se traîna jusqu'au fauteuil et s'y laissa choir. Appeler... cela demandait beaucoup trop de force. Il allait le faire plus tard. Pour l'instant, il devait se reposer, reprendre des forces, faire le point sur cette histoire de fous. Il ferma les yeux, sans vraiment le décider. Il n'allait pas dormir, juste se reposer les yeux. Juste se reposer les yeux… Juste se reposer… Juste…

Dormir.

18 : Maman

J'ai mangé papa.

La nuit dernière, je me suis glissé dans sa chambre. Maman n'était pas revenue du travail. Je me suis précipité sur le lit. Papa s'est réveillé en hurlant. Il a voulu chasser ce monstre qui l'attaquait. Il n'avait aucune chance. D'un coup de patte, la chose que j'étais lui a ouvert la gorge.

Au matin, maman m'a trouvé. J'étais couvert de sang, endormi sur les entrailles de papa. Elle a hurlé. J'ai voulu lui expliquer que ce n'était pas moi. Pas vraiment. Que j'étais devenu une chose ! Un monstre. Que des poils avaient poussé partout ! Que j'étais affamé ! Que je ne voyais pas papa ! Je voyais une proie. J'étais fort et rapide, bien plus qu'un adulte. Elle ne m'a pas écouté. Elle criait et pleurait. À coups de pieds et de poings, elle m'a poussé vers ma chambre. Là, j'ai encore voulu lui parler. Elle n'écoutait pas, elle semblait démente. Elle m'a enfermé. Je suis resté longtemps seul. Dans le noir. À tenter de comprendre ce qui s'était passé. Je n'avais que des souvenirs vagues de la transformation, mais je me souvenais avec exactitude de tout ce qui s'était produit, un peu comme si j'avais été un témoin impuissant, emprisonné dans ma propre tête mais incapable d'agir. Pourtant, je n'avais aucune raison d'en vouloir à papa.

Je n'ai pas eu d'autres contacts avec maman cette journée-là. Je l'ai seulement entendue lorsqu'elle clouait des planches de bois contre le chambranle de ma porte. J'étais prisonnier.

Depuis, j'attends. Il y a cinq jours que je ne fais que ça. Je lis un peu, j'écoute la télé, je pense à mes amis, qui doivent s'inquiéter de ne pas me voir à l'école.

J'entends un bruit dans le couloir : maman. Je me dirige vers la porte et l'ouvre. Derrière les planches qui servent de barreaux, je la vois, fusil à la main. Ses yeux sont rouges et ses traits, tirés. Elle est recouverte de sang séché. Elle murmure sans cesse : « Démon, monstre ! »

Je veux lui parler, mais elle reste sourde à mes paroles. Elle donne l'impression d'être ailleurs. Elle ajuste lentement le fusil. Et me met en joue. Je reste paralysé devant son geste. Elle me regarde alors, comme si elle me voyait pour la première fois. Elle laisse tomber son arme et pleure. Chacun des sanglots semble lui arracher de la douleur. Elle se laisse glisser contre le mur du couloir. Elle sort son chapelet et commence une suite interminable de prières. Je lui parle, doucement, pour ne pas l'effrayer. Elle n'y prête pas attention. Au bout d'un moment, elle me quitte en traînant son arme.

Je l'appelle. « Maman, c'est moi, Tom ! Je ne sais pas ce qui s'est passé. Mais ce n'est pas de ma faute. Je n'ai rien voulu faire de mal ! » Pas de réponse. J'entends la porte de sa chambre qui claque. Puis, bang ! Une détonation étouffée, une seule.

Et le silence total.

19 : L'Arracheur de rêves (10)

À son réveil, Marc-Antoine savait. Tom avait raison. Dans sa folie, il avait perçu des choses. Gustave était derrière cela. Il était dans tous les rêves et semblait y prendre plaisir, un plaisir malsain et de plus en plus fort à mesure que les rêves s'enfonçaient dans l'horreur. Il était la mère et le père dans ce dernier rêve, celui de Tom. C'était lui qui l'observait. C'était lui l'esprit mauvais qui se réjouissait de ses malheurs, qui s'en nourrissait. C'était… un démon ?

Marc-Antoine sortit sur son balcon et cogna à la porte voisine, celle de Gustave. Le vieil homme lui répondit en pantoufles et en robe de chambre, un sourire malicieux aux lèvres.

— Oui ? demanda-t-il.

Marc-Antoine le prit à la gorge et l'appuya contre le cadre de porte.

— C'est vous ! dit le jeune homme.

L'autre ne montra pas de signe de panique. Au contraire, son sourire s'élargit. Pendant un instant, Marc-Antoine fixa son regard dans les yeux gris de Gustave. Il sut alors que Tom avait raison. Cet être n'était pas Gustave. Il n'était pas humain. C'était un démon, une créature ancienne, millénaire, qui se nourrissait dans le monde onirique des peurs et de la douleur des gens.

— Tu dors debout, dit la créature d'un ton posé.

Marc-Antoine sentit la fatigue s'abattre sur lui. Il lutta pour rester conscient. Il devait absolument tuer cette chose, mais le besoin de dormir se faisait sans cesse plus pressant. Ses mains, trop lourdes, retombèrent. Il chuta au sol, se frappa le crâne. Pourtant, il ne ressentit aucun mal, comme s'il était enveloppé de ouate. Au-dessus de lui, la chose qui se faisait appeler Gustave l'observait avec délectation. Avec ses dernières forces, Marc-Antoine se traîna jusque chez lui. Ses yeux se fermèrent sur le seuil de la porte. Il dormait déjà.

De nouveau dans la barque. Pendant une fraction de seconde, Marc-Antoine ne voit pas son père mais un démon. Malgré le corps rougeoyant et les yeux de braise, Marc-Antoine reconnaît Gustave. Il ne sait si c'est l'apparence réelle de la créature ou un autre de ses artifices.

— Belle journée pour pêcher, dit la chose en reprenant l'apparence du père de Marc-Antoine.

Marc-Antoine regarde autour de lui, à la recherche d'une échappatoire. Il n'en voit aucune. Autour d'eux, l'eau est presque noire. Marc-Antoine remarque qu'il tient une canne à pêche lorsqu'il sent quelque chose tirer sur sa ligne.

— Tu as attrapé quelque chose, je crois, dit la créature.

Marc-Antoine reste immobile, les yeux roulant de gauche à droite, espérant une aide providentielle. Le démon lui arrache la ligne des mains et la ramène. Marc-Antoine ne veut pas voir sa prise ; pourtant, il ne peut détourner le regard du bout de la ligne.

Une masse de près de deux mètres émerge de l'eau. Un homme. Tom. Il se débat en criant de douleur.

— Wow! On a une belle prise aujourd'hui ! Regarde comme il gigote.

Tom se contorsionne en tous sens pour essayer d'extraire l'hameçon à trois crochets qui lui perce le ventre.

Le pêcheur ramène le corps frémissant dans la barque et sort son couteau. Il se tourne vers Marc-Antoine et lui fait un clin d'œil.

— Veux-tu l'arranger ?

Marc-Antoine blêmit, son sang cesse de circuler un instant dans son corps avant de reprendre son chemin.

— Comme tu veux, fils, dit la créature en insistant sur le dernier mot.

Avec son couteau, il entreprend d'ouvrir le crâne de Tom, qui crie et crie. Lorsque la calotte crânienne tombe sur le sol, le démon commence à manger le cerveau dévoilé.

Pendant ce temps, les hurlements de Tom sont repris par l'écho.

Marc-Antoine ouvrit les yeux. Il devait sortir de là. Appeler à l'aide. Il vit le téléphone dans le salon, à des milliers de kilomètres. Il entreprit de ramper. Il avançait lentement. Il avançait... Il...

Dormait.

20 : Le Masque de Méduse

Le soleil illuminait les rues du Vieux-Québec. Une légère brise permettait d'apprécier le temps chaud et humide. Mélyna flânait dans la rue Saint-Jean, essayant parfois une jupe ou un débardeur. Depuis toujours, elle tirait une fierté à connaître les dernières tendances, ce qui lui servait dans son métier de mannequin. À vingt-trois ans, elle faisait ce travail depuis plus de huit ans. Elle aimait se placer devant les projecteurs, se fondre dans le concept d'un produit, se sentir superbe.

Ce jour-là, toutefois, elle avait relégué sa carrière au second plan : elle avait rendez-vous le soir même avec Marc. Le jeune homme était étudiant en arts à l'Université Laval. Mélyna ne comprenait pas comment elle était devenue amoureuse de ce peintre qui manquait de confiance en lui, alors qu'elle fréquentait habituellement des machos imbus d'eux-mêmes. Mais un fait demeurait : jamais un homme ne lui avait fait un tel effet. Après un mois passé à la courtiser timidement, il venait de franchir une étape importante en l'invitant à dîner.

Perdue dans ses pensées, la jeune femme se retrouva dans la basse-ville. Mélyna n'avait jamais pénétré dans un magasin d'antiquités jusqu'à ce jour. À vrai dire, elle n'avait jamais éprouvé le moindre intérêt pour ces vieilleries que se plaisaient à collectionner ses parents, du temps où elle vivait avec eux. Ses pas la conduisirent pourtant tout droit vers *La Petite Grèce*, l'une des nombreuses boutiques de la rue Saint-Paul. Dans la vitrine, entre un cadre centenaire et un violon de collection, elle remarqua le masque. Rien n'indiquait qu'il eût un caractère exceptionnel, ce n'était qu'un simple masque d'argile à la facture plutôt grossière. La jeune femme ne put cependant s'empêcher de le regarder. Le masque représentait un visage de femme aux traits vaguement reptiliens avec des serpents en guise de cheveux. Sans qu'elle ne sût pourquoi, la vue de ce masque interrompit complètement le cours de ses pensées. Après quelques instants de contemplation muette, elle se décida à entrer pour s'informer du prix de l'objet, mais elle savait déjà qu'elle ne pourrait repartir sans lui ; elle ressentait la même euphorie que lorsqu'elle trouvait une robe à son goût.

Dès qu'elle eût franchi le pas de la porte, les deux vendeuses se précipitèrent à sa rencontre comme si elles n'avaient pas vu de client depuis des mois.

— On peut vous aider ? demanda une des vendeuses.

— Non, je ne fais que regarder, dit Mélyna en affectant un air indifférent. Je cherche un cadeau pour mes parents.

— Si vous avez besoin d'aide… commença la deuxième vendeuse.

— Je vous ferai signe, répondit Mélyna en avançant vers un cadre qui ne l'intéressait pas du tout.

Les deux antiquaires semblèrent un peu déçues. Elles observèrent Mélyna un moment avant de retourner à leur bureau au fond de la pièce tout en jetant un regard à leur cliente de temps à autre.

Les deux femmes étaient jumelles, et Mélyna ne réussit pas à les différencier : elles avaient toutes les deux une longue chevelure noire qui leur caressait le bas du dos, des yeux très foncés, un teint basané, un sourire mystérieux et une carrure imposante pour des femmes. Même leurs vêtements étaient identiques : blouses grises et tailleurs noirs trop chauds pour la saison, avec des sandales brunes de mauvais goût.

Après avoir fait le tour de la boutique, Mélyna s'approcha du bureau, et les jumelles s'adressèrent à elle dans leur français teinté d'un lourd accent étranger.

— Eh bien ! madame, y a-t-il quelque chose...

— ... que l'on puisse faire pour vous ?

— En fait, j'ai remarqué un masque dans la vitrine. Je crois qu'il plairait beaucoup à mes parents. C'est une femme avec des serpents sur la tête.

Elle mima la scène en imitant des serpents au-dessus de ses cheveux. Les deux femmes hochèrent la tête d'un même mouvement.

— Méduse !

— Pardon ?

— Méduse, vous parlez du masque de Méduse...

— Vous ne connaissez donc pas votre mythologie grecque ? l'interrogea la deuxième vendeuse.

— En fait, je n'ai pas eu vraiment l'occasion de lire de livres sur le sujet. Et...

Elle aurait voulu dire qu'elle n'en avait rien à foutre, mais elle fit plutôt un sourire poli avant de continuer :

— J'aimerais bien savoir qui était cette Méduse.

— Dans ce cas-là, asseyez-vous sur le tabouret pendant que ma sœur va vous raconter cette histoire. Entre nous, elle la rend beaucoup mieux que moi.

— Bien, je vais la raconter ! Mais avant, jeune fille, je tiens à ce que vous sachiez qu'il en existe de nombreuses versions, presque autant que de gens pour la raconter. Une seule est vraie, celle que vous allez entendre.

Les femmes échangèrent un regard amusé. La conteuse reprit son récit.

— Il y a bien longtemps, lorsque la civilisation grecque atteignait son apogée, vivait une merveilleuse femme du nom de Mésousa. Mésousa, ou Méduse en français, était ravissante, un peu comme vous, d'ailleurs. Elle portait votre jolie chevelure bouclée, ce qui était, dans le temps et dans cette partie du monde, plutôt rare. Tout comme vous, elle avait de beaux grands yeux, de jolies fossettes, une petite lèvre supérieure retroussée qui faisait craquer les hommes, des formes suggestives, un joli teint, quoique plus foncé que le vôtre… L'histoire se passe en Grèce après tout.

Mélyna se sentait plutôt mal à l'aise, non pas à cause des compliments (elle en avait pris l'habitude au cours des années et en tirait habituellement une certaine satisfaction), mais à cause du regard de la femme qui semblait pouvoir lire en elle.

— La beauté de Méduse rendait les femmes folles d'envie et consumait les hommes de désir. Elle était si belle que la déesse Athéna en fut jalouse. Elle lança donc une terrible malédiction contre la jeune femme : ses belles boucles d'or seraient remplacées par d'horribles serpents, et quiconque croiserait son doux regard serait aussitôt transformé en pierre.

L'antiquaire interrompit un instant son récit. Mélyna dut se faire violence pour ne pas lui ordonner de continuer. Elle resta toutefois sagement assise jusqu'à ce que la conteuse ait pris une gorgée d'eau. Elle semblait faire exprès d'éterniser sa pause afin de s'assurer de l'effet dramatique de son histoire. Son ton devint de plus en plus grave.

— Méduse fut chassée du continent et envoyée dans une île éloignée de tout, où elle rencontra deux sœurs, les Gorgones, des créatures immortelles qui allaient devenir ses uniques compagnes. Les trois femmes devinrent rapidement de grandes amies et vécurent heureuses, mais Athéna en fut contrariée et elle s'arrangea pour que le roi Polydestès demande à Persée de lui ramener la tête de Méduse. La déesse permit à son jeune héros d'aller dans les Enfers afin d'y prendre le casque d'Hadès, qui confère à celui qui le porte le don d'invisibilité. Ainsi équipé, le jeune homme se rendit dans l'île des Gorgones et réussit à tromper leur vigilance. Il se déplaça à pas de loup pour atteindre la jeune Méduse et se servit ensuite de son bouclier poli pour retourner le regard de la belle contre elle-même. La jeune femme n'eut même pas le temps de pousser un cri avant de se transformer en pierre. Persée lui coupa ensuite la tête, qui devait orner plus tard l'égide d'Athéna. Et dire que Persée, le demi-dieu, est reconnu par les Grecs comme un héros…

— … alors qu'il a froidement participé à la mise à mort d'une malheureuse, compléta l'autre vendeuse. Et voilà la tragique histoire d'une femme, dont l'unique crime fut d'être belle et contre laquelle une déesse envieuse s'acharna. Même la tradition s'acharne sur elle en en faisant un monstre !

Mélyna ne put s'empêcher de sourire en voyant l'énergie déployée par les deux femmes pour défendre un personnage mythologique dont personne ne se souciait plus. Pourtant, le masque lui plaisait vraiment, et elle imaginait déjà à quel endroit elle pourrait le mettre. Aussi bizarre que cela puisse paraître, l'envie de le revoir la consumait comme si cela faisait des années qu'elle en avait été séparée.

— Au fait, à quel prix le vendez-vous ?

— Quoi ? Ah ! Oui, le masque… Attendez un instant, je vais le chercher…

Elle se dirigea vers la vitrine et prit le masque. Elle chercha un moment l'étiquette et la trouva attachée au bout d'un cordon. Elle plissa les yeux pour lire le prix et se retourna vers Mélyna, tout sourire.

— Eh bien ! jeune fille, c'est une aubaine. Il ne coûte que deux mille dollars !

Mélyna fit la moue. Au rythme où elle dépensait son argent, elle n'avait pas vraiment les moyens de se le payer. Pourtant, le voir là, à portée de la main, la rendait nerveuse : elle devait absolument l'acheter, quitte à sacrifier d'autres dépenses.

— Je vous en offre mille. Je ne peux me permettre plus pour mes parents. Je dépasse déjà mon budget.

— Voyons, jeune fille, il est presque donné…

La deuxième vendeuse mit une main apaisante sur la main de sa sœur et compléta la phrase :

— ... mais puisque c'est pour vos parents, je crois bien que je peux convaincre ma sœur de vous le laisser à mille cinq cents.

Mélyna accepta l'offre immédiatement et paya avec sa carte de crédit pendant que l'une des deux femmes enveloppait le masque tout en la félicitant de son acquisition. Dès qu'elle eût pris possession de son paquet, Mélyna se dépêcha de rentrer chez elle afin d'installer le masque. Elle commença par le placer dans le salon, juste derrière la télévision, entre la fougère et l'affiche de la Joconde. Elle s'assit ensuite dans le fauteuil et regarda longuement si le masque était bien mis en valeur. Non, il passait presque inaperçu à cet endroit. Elle décida donc de le mettre dans sa chambre, où la décoration était moins chargée. Il trouva ainsi sa place sur l'étagère juste en face du lit. De cet endroit, elle put le contempler pendant des heures, confortablement couchée sur son matelas. Elle avait toujours aimé le beau, mais jamais auparavant elle n'était restée en extase devant un simple objet.

Mélyna dut interrompre sa contemplation oisive à cause de la sonnerie du téléphone. Elle refusa de répondre. La sonnerie mourut après le quatrième coup, et la boîte vocale prit en charge l'appel. Mélyna soupira d'aise et se recoucha pour continuer sa contemplation.

La sonnerie se fit de nouveau entendre. Elle décrocha en grommelant un juron :

— Quoi ? dit-elle un ton en dessous du cri.

— C'est parce que je t'attends, bredouilla Marc. Tu devrais être ici depuis une heure. Ça va ?

Mélyna prit sa voix la plus charmante :

— Je suis désolée, je me suis endormie vers deux heures et je n'ai pas vu le temps passer.

— Penses-tu pouvoir me rejoindre ? On a encore le temps de manger, il est à peine sept heures.

— Non, je ne pense pas que c'est une bonne idée. Je me sens un peu mal.

— Veux-tu que je vienne te voir ?

— Non, je vais me recoucher, et ça devrait passer. Je t'appelle demain.

— Tu es sûre que ça va ? Tu as l'air bizarre.

— Ça va. Juste un peu de fatigue.

Lorsqu'elle eut raccroché, la jeune femme se sentit un peu honteuse de lui avoir menti, mais une partie d'elle refusait de parler du masque. C'était son secret à elle.

Elle se fit un sandwich, qu'elle mangea au lit en tête-à-tête avec Méduse. Elle se sentait étrangement lasse. Elle pensait à l'histoire des antiquaires, à Persée, à Athéna et aux Gorgones. Tout occupée qu'elle était à admirer sa nouvelle acquisition, elle ne put lutter longtemps contre le sommeil, qui l'enveloppa dans sa couverture de soie noire.

Ses rêves furent des plus agités. Elle imaginait des gens, des centaines de gens, qui l'entouraient et qui tentaient de lui dérober son masque. Elle vit Marc, ses parents, ses amis, ainsi qu'un tas d'autres individus dont les visages lui semblaient vaguement familiers, des gens qu'elle avait côtoyés à l'école ou encore qu'elle avait vu dans les grands magasins, dans des restaurants ou lors de défilés de mode. Elle se trouvait au milieu d'un champ immense, et tout ce beau monde avançait lentement vers elle, formant un cercle toujours plus petit. Chacun de leurs pas résonnait comme un tambour dans la tête de la jeune femme. Elle avait beau crier, pleurer, ils continuaient à s'approcher jusqu'à ce qu'ils ne soient plus qu'à quelques centimètres d'elle. Des dizaines de mains agrippèrent le masque ; Mélyna se recroquevilla et tenta de le ramener contre sa poitrine. Toutefois, les mains étaient trop nombreuses. La jeune femme tira pour garder le masque, qui se déchirait lentement en de fins lambeaux. Elle tira, tira, tira… et finit par se réveiller dans son lit, couverte de sueur et avec une atroce douleur à la tête.

Elle regarda ses mains et poussa un cri avant d'éclater en sanglots. Entre ses doigts et sur son lit, elle trouva une multitude de cheveux dorés. Les siens. Elle les avait arrachés au cours de son rêve. Elle regarda l'heure : deux heures du matin. Il était trop tard pour appeler ses amis. Ou Marc. À ce moment, seule dans son lit, entourée de ses cheveux arrachés, elle regretta de vivre seule.

Elle pleura longtemps, secouée par de terribles tremblements, avant de reprendre un peu le contrôle sur elle-même. Elle s'obligea à aller devant un miroir. Elle poussa un cri d'effroi et de douleur en voyant les trois quarts de sa chevelure arrachés. De plus, de grosses plaques rouges recouvraient son crâne, qui saignait par endroits. Froidement, elle prit une paire de ciseaux et coupa le plus court possible ce qui lui restait de cheveux. Ensuite, elle termina le travail au rasoir tout en réprimant ses larmes. Elle se regarda de nouveau dans la glace : avec un chapeau, le pire serait caché. Bien sûr, elle devrait mettre une croix sur ses prochains contrats, le temps que les marques disparaissent, mais elle trouverait bien un client qui apprécierait son nouveau look — n'avait-elle pas entendu parler d'une nouvelle marque de jeans à laquelle on voulait donner un côté rebelle ?

Après ces événements, la jeune femme ne voulut pas retourner dans sa chambre. Elle ne se sentait pas prête à se recoucher avec tous ses cauchemars. Elle s'assit donc devant la télévision pour une nuit de veille. Elle suivit d'abord la reprise d'un match de boxe sans grand intérêt, puis une émission de médecine parlant de l'herpès génital. Tout, plutôt que dormir. Elle ressentit les premières crampes lors d'une publicité.

Au début, elle crut à un signe prémenstruel, mais c'était impossible. Elle venait de sortir de ses règles. La douleur fut rapidement si intense qu'elle s'allongea sur le dos en pesant le plus fort possible sur son ventre. *Inspiration, expiration.* Elle tenta de garder le contrôle de son corps, qui menaçait d'exploser. *Inspiration, expiration.* Chacune de ses respirations était plus longue et profonde que la précédente. Bientôt, elle put contrôler en partie sa souffrance. *Inspiration, expiration.* Elle se leva calmement et se dirigea en vacillant vers la salle de bains. *Inspiration, expiration.* À mi-chemin, elle fut prise de nausées et courut jusqu'à la baignoire, où elle vomit longuement et douloureusement.

Sans même prendre la peine d'essuyer la bile sur les commissures de ses lèvres, elle se laissa choir sur le sol. Vidée et épuisée. Dans un état d'inconscience proche du sommeil, elle fut tourmentée par un flot d'images fugitives qu'elle ne pouvait interrompre : ici, Persée qui la regardait avec rage avant de lui couper la tête ; là, les villageois qui la chassaient de chez elle en lui criant des insultes et en lui lançant des pierres. Mélyna gémit, tenta de se relever pour retomber aussitôt. Elle se sentait faible, si faible ! Son pouls diminuait, sa respiration se faisait de plus en plus difficile. Elle retomba dans un sommeil peuplé de cauchemars. Elle vit les Gorgones, les deux antiquaires, qui lui promettaient de la ramener à la vie, encore et encore. Puis, des milliers d'hommes défilèrent dans sa mémoire, tous des inconnus qui lui semblaient vaguement familiers, tous immobiles comme des statues. Ils se succédaient à un rythme sans cesse plus rapide, comme autant de diapositives projetées dans la salle obscure des souvenirs. Elle tenta d'interrompre le manège. Elle voulut se réveiller, se lever, crier, oublier ses visions maudites… Rien à faire. Elle devait se contenter du rôle de spectatrice, impuissante face au spectacle qui refusait de s'interrompre.

Elle sortit de sa torpeur lorsqu'elle entendit un bruit. Des pas résonnaient tout près. Elle se concentra pour en établir la provenance, mais fut rapidement submergée par une cacophonie de sons. Chaque pas était un avion qui franchissait le mur du son ; chaque craquement, un tremblement de terre. Elle fut assourdie par ses propres cris terrifiés. Pour se calmer, elle ferma les yeux et tenta de chasser tous ces bruits étrangers qui violaient son crâne. Au bout d'un instant, elle retrouva une audition presque normale, quoique beaucoup plus fine que d'ordinaire. Elle fit le tour de son appartement pour y trouver celui qui marchait. Personne ! À croire que les pas venaient de l'extérieur. Mélyna rejeta cette idée : son appartement était parfaitement insonorisé. Pourtant… en se concentrant, elle discernait distinctement chacun des pas. Elle approcha donc de la grande fenêtre du salon et tira les rideaux. Elle fut aveuglée un moment par la lumière crue du jour. Elle craignit que ses rétines ne fondent. Quelques clignements d'yeux plus tard, sa vision se stabilisa, et elle jeta un coup d'œil dans la rue déserte qui s'étendait devant son appartement.

Déserte ? Pas tout à fait ! Deux femmes marchaient, main dans la main, dans la direction de sa demeure. En se collant contre la vitre, elle reconnut les deux antiquaires – *les Gorgones ?* Celles-ci la regardèrent à leur tour en lui tendant la main. Elle pouvait entendre leur voix et sentir leur odeur. Elle poussa un hurlement comme un sifflement strident, surprise par la puissance de ses sens. Elle comprenait confusément que quelqu'un ou *quelque chose* se jouait d'elle, la manipulait. Sans pouvoir déterminer le rôle de chacun, elle comprit que le masque et les deux vendeuses n'étaient pas étrangers à cette affaire.

Elle courut à sa chambre. Malgré les spasmes de douleur qui la vrillaient de toutes parts, elle approcha du masque, qu'elle détestait et qu'elle craignait maintenant avec la même intensité qu'elle avait pu l'adorer. Elle prit l'objet comme on s'empare d'un scorpion et le lança violemment sur le sol. Il vola en mille éclats. Elle piétina alors les morceaux jusqu'à ce qu'il ne subsiste que de la poussière. Et pendant ce temps, la souffrance qui parcourait chaque terminaison nerveuse de son corps lui arrachait cris et sanglots.

Une fois son œuvre achevée, elle s'effondra, exténuée. Elle n'eut que la force de relever sa tête pour se regarder dans le miroir. Sans l'ombre d'un doute, les bosses sur sa tête prenaient la forme de serpents. Elle poussa un dernier cri, plus strident encore que le premier. Elle comprenait enfin l'ampleur de son malheur : elle devenait Méduse, et la destruction du masque n'y changeait rien ! Son cri de détresse fut submergé par tous les sons qui l'entouraient. Elle ne pouvait plus les contenir. Ses sens s'emballaient. Elle sombrait au cœur d'un maelström, où tous les postes de télévision s'unissaient, où les effluves de toutes les poubelles se mélangeaient, où les chaleurs les plus intenses faisaient place aux froids polaires. Son corps tout entier devenait sensible au moindre stimulus et en décuplait les effets jusqu'à des degrés insoupçonnés.

Le contrôle de son corps lui échappa rapidement. Elle se contorsionnait en tous sens, sans pouvoir offrir la moindre résistance à la douleur. Elle se frottait contre le lit, les meubles et les murs, laissant au passage de longues traînées de chair sèche. Une voix suave et hypnotique lui disait de ne pas s'en faire, de se rendormir, de se laisser aller, que tout se déroulait parfaitement, qu'il fallait laisser place à la nouvelle peau. Bientôt, son esprit aussi s'effilocherait pour laisser place à celui de Méduse, qui revenait parmi les mortels après une longue léthargie. Elle voulut contrer le monstre, mais elle se sentait si faible, et abandonner la place à sa rivale était si simple !

Puis, la transformation s'acheva. Méduse retrouvait lentement l'usage de ce corps si similaire aux nombreux autres qu'elle avait habités. Mélyna n'était plus qu'une petite voix, une pensée dans les profondeurs du cerveau de la créature. Et Méduse souriait, riait, dansait de la joie de revivre enfin. Elle fit le tour de sa demeure provisoire et en brisa tous les miroirs. Elle appelait les Gorgones, ses amies, les pressant d'arriver afin qu'elles puissent retourner dans leur île pour y vivre une vie sans histoire. Elle consolidait de plus en plus son emprise sur le corps nouvellement acquis. Sa voix devenait plus nette ; ses sens, plus stables. Son cœur prenait lentement un rythme normal après les folles émotions de la transformation. Elle regardait autour d'elle, cherchant à comprendre l'utilité de tous ces objets nouveaux.

Quelqu'un cogna à la porte. Sur ses gardes, Méduse se cacha derrière le fauteuil en cherchant quoi faire. D'autres coups furent portés, plus forts et secs que les précédents. Méduse sentait l'anxiété chez le visiteur, un homme, à n'en pas douter. Son parfum cachait à grand-peine un relent de transpiration qu'expliquait la nervosité au moins autant que la chaleur. Raclement de gorge, piétinements. L'homme s'impatientait. Les sens aux aguets, Méduse espéra qu'il allait partir. Non, il s'accrochait à son désir de voir Mélyna et il actionna la sonnette de l'appartement. La créature approcha donc de la porte pour répondre. Mélyna voulut résister. Peine perdue : elle était reléguée au tréfonds du cerveau du monstre. La nervosité augmentait de l'autre côté de la porte. Autres raclements de gorge, froissements de tissu.

— Mélyna, c'est Marc. Je t'ai appelée trois fois, et tu ne m'as pas répondu. Alors, j'ai décidé de passer. Je m'inquiète pour toi ! Ouvre, je sais que tu es là. Je t'entends. Ah ! te voilà…

L'homme n'eut pas l'occasion de terminer sa phrase. D'un seul regard, Méduse le pétrifia.

Folle de rage, Mélyna réussit à prendre momentanément le contrôle de Méduse. Secouée par de terribles tremblements dus à l'effort que lui coûtait la possession, elle se mit à avancer comme un automate déréglé. À chaque instant, Méduse multipliait les attaques et menaçait de renverser les rôles. Épuisée, sanglotante, au bord du désespoir, Mélyna se traîna jusqu'à la salle de bains. Là, elle se jeta sur le sol et s'empara d'un morceau de miroir. Avec ses mouvements malhabiles, elle s'entailla la paume de la main de part en part. Qu'importe, elle ne s'en souciait plus. D'une main tremblante, elle réussit à lever le miroir jusqu'à son visage. Elle résista à Méduse. Résista pour ne pas lâcher le miroir. Résista pour ne pas détourner le regard. Puis, elle se vit…

Les Gorgones entrèrent dans l'appartement quelques instants plus tard. Méduse était déjà de pierre. Les deux femmes se lancèrent un regard dépité. Avec une force que leur apparence ne laissait pas soupçonner, elles prirent chacune une statue et les transportèrent en silence aussi naturellement que si elles avaient été deux déménageurs expérimentés.

Personne ne prêta attention à la nouvelle boutique qui s'ouvrit dans le Ve arrondissement de Paris, dans la rue d'Écosse. Les plus vieux habitants du quartier savaient que ce local commercial avait été la tombe de plus de dix entreprises depuis la fermeture de la librairie *Plume D'oie* deux ans plus tôt. Certains jetèrent un œil sur la vitrine. D'autres aperçurent les deux propriétaires, deux vieilles filles à l'air terne.

Seules dans leur boutique, perdues entre des antiquités poussiéreuses, elles discutaient en grec. Un grec tel qu'on ne le parlait plus depuis des siècles.

— Crois-tu que nous allons y arriver ? demanda la première.

L'autre haussa les épaules avant de répondre :

— Tu sais, ça fait des siècles que nous traversons le monde pour trouver la bonne : la femme qui nous permettra de faire revivre notre vieille complice. Alors, pourquoi y arriverions-nous cette fois-ci ?

— Et pourquoi n'y arriverions-nous pas ?

Elles rirent en cœur ; cette discussion, elle l'avait eue à des centaines de reprises, attendant chaque fois qu'un nouveau sosie de leur camarade se présente dans leur boutique.

21 : L'Arracheur de rêves (11)

Ouvre les yeux.
Ouvre les yeux !
Ouvre…

Marc-Antoine secoua la tête pour sortir de sa torpeur. Il tenta de se lever. Toutefois, ses mouvements étaient entravés par des liens qui lui enserraient les chevilles et les poignets. Il tourna la tête. Lentement. Elle pesait des tonnes.

Sa vision était floue. Une sorte de brume l'empêchait de faire la mise au point. Il distinguait vaguement des murs blancs qui semblaient s'approcher de lui.

Il était dans une chambre aux murs capitonnés. Un hôpital ! L'angoisse monta lentement dans la gorge de Marc-Antoine. Il devait crier pour éviter qu'elle l'étouffe.

Il regarda à droite et à gauche à la recherche d'une issue ou d'un outil qui lui permettrait de se libérer. Rien. La pièce était vide. Désespérément vide. Marc-Antoine ferma les yeux en secouant la tête.

Un rêve. C'est encore un rêve. Je dois me réveiller. Me réveiller.

Un bruit. Quelqu'un entra dans la salle. Marc-Antoine dut se contorsionner pour le voir. Gustave, ayant revêtu des habits de médecin, se plaça devant lui. Le calme professionnel qu'il affectait ne cachait pas la joie démente qui irradiait de lui. Un instant, son visage fut caché par un dossier qu'il parcourut rapidement. Lorsqu'il le rangea, il se pencha sur Marc-Antoine.

— Vous êtes réveillé, je vois, monsieur Garon.

— Caron, lui rétorqua Marc-Antoine malgré lui.

Le médecin regarda de nouveau le dossier.

— Non, c'est écrit ici que vous vous appelez Marc-André Garon.

Marc-Antoine ne répliqua pas. À quoi bon ? L'autre se jouait de lui. Il devait trouver un moyen de s'en débarrasser. De l'amener dans son rêve à lui. *Oui, c'est ça, l'obliger à venir dans mon rêve. Je dois me réveiller.*

— C'est l'heure de votre traitement, continua Gustave sans se démonter.

Marc-Antoine décida de ne pas réagir. De toute façon, il ne pouvait rien faire dans ce monde. Il laissa l'autre jouer sa mascarade.

Le médecin sortit de la pièce en laissant la porte entrebâillée. Marc-Antoine plia le cou jusqu'à ce qu'il craque. Il réussit alors à apercevoir l'extérieur de la pièce. Une grande fenêtre laissait voir une cour extérieure contenue entre quatre murs. Marc-Antoine reconnut cette cour… la même que celle derrière son logement.

Le retour du médecin chassa toute pensée. Il tirait sur une lourde machine posée sur roulettes. Il arrêta à côté du lit et inspecta l'instrument pour s'assurer que tout marchait bien. Il prit deux fils et les fixa de chaque côté de la tête de Marc-Antoine à l'aide d'électrodes. Il retourna à sa machine et s'apprêta à appuyer sur un bouton, mais il suspendit son geste. Il se pencha vers son patient et lui dit, d'une voix grave où perçait une touche d'ironie :

— Comme je vois que tu vis toujours dans ton monde secret, on va devoir recommencer les séances d'électrochocs.

Ouvre les yeux.

Ouvre les yeux !

Ouvre…

— Marc-Antoine, ça va ?

Anne était penchée sur lui, inquiète. Marc-Antoine tremblait de partout, comme si son corps était traversé par une décharge électrique.

— Ça va. J'ai mal partout. Je ne sais pas comment j'ai fait mon compte. J'ai dû dormir dans une mauvaise position. Ça fait mal.

Pendant un instant, il revit le visage du dément alors qu'il appuyait sur le bouton et qu'une puissante décharge électrique traversait son corps.

— Encore un cauchemar ? demanda Anne. Tu en as fait plusieurs cette semaine. Est-ce que tu penses qu'ils ont un rapport avec les livres que tu lis avant de t'endormir ?

Marc-Antoine rit doucement, alors que le sourire de sa femme devint une moue boudeuse.

— Voyons, mon amour, dit-il. Je lis avant de m'endormir depuis des années et je n'ai jamais fait de cauchemars avant.

— Peut-être, répondit Anne, sans être convaincue.

Marc-Antoine la prit dans ses bras pour la rassurer. Cette étreinte servit aussi à calmer ses propres angoisses. Il avait l'impression qu'il allait devenir fou avec tous ces rêves. Pourtant, il n'osait en parler, même si le sujet lui brûlait parfois les lèvres. Il regarda sa montre : presque sept heures.

— Bon, moi, je prends une douche, dit-il en se levant.

Anne releva la tête pour le voir partir et lui demanda :

— Qu'est-ce que tu vas faire aujourd'hui ? Après tout, tu commences tes vacances, mon chanceux.

Il se retourna avec un air mystérieux.

— Je vais rénover la cave.

— La cave ?

— Oui. Et je te demanderais une chose : surtout, ne descends pas avant que j'aie terminé.

— Je ne sais pas, dit-elle d'un ton mutin. Voir un bel homme travailler…

— Sous aucun prétexte, dit-il d'un ton trop sec.

Le sourire espiègle d'Anne disparut aussitôt. Elle se retourna et répondit d'un ton maussade :

— O.K. C'est beau, pas la peine de le prendre comme ça.

Les traits de Marc-Antoine se radoucirent lorsqu'il ajouta :

— Je veux que la surprise soit totale.

Il sortit le corps raide. À chaque pas, il faisait une grimace de douleur.

Je dors ?

Marc-Antoine ne sentait plus les liens qui lui entravaient les bras et les jambes. Il releva la tête et regarda autour de lui. Il était de nouveau dans la chambre d'hôpital. La porte était restée ouverte. Une douleur sourde traversait son corps.

Le silence avait une texture mouvante. Une voix se fit entendre, lointaine, amortie.

— J'ai peur. J'ai peur !

— Ta *yeule*.

La même voix. Marc-Antoine mit un moment à comprendre que ce dialogue impliquait un seul individu. Et le silence revint, plus lourd encore.

Je dois partir d'ici.

Sans gestes brusques, Marc-Antoine entreprit de sortir du lit. Lorsqu'il posa un pied sur le sol, la douleur se propagea dans tout son corps. Malgré tout, il continua. Il se leva complètement. La douleur embrouilla sa vision lorsqu'il fit un premier pas, puis un deuxième.

La sortie de la chambre semblait lointaine. Inaccessible. Marc-Antoine serra les dents et continua sa progression. Lorsqu'il franchit le seuil, ce fut comme une petite victoire. Devant lui, la fenêtre montrait la cour verdoyante. Si proche et si lointaine, elle semblait le narguer.

Sortir de là. Il regarda à gauche, à droite. Un couloir. Blanc, neutre. Vide. D'un côté, des portes : les autres chambres. De l'autre, une fenêtre sur la cour. Marc-Antoine décida d'aller à droite, quand il vit un fauteuil roulant plié contre le mur, comme une invitation. Il se battit pour l'ouvrir avant de se laisser tomber dedans.

Inexpérimenté avec ce type de véhicule, Marc-Antoine avança maladroitement dans le corridor. Trop lentement à son goût. À tout moment, il redoutait l'irruption d'un membre du personnel ou du docteur. Gustave.

Pourtant, personne ne vint se mettre dans son chemin. C'était presque trop facile. Prenant plus d'assurance, Marc-Antoine donna de fougueuses poussées avec ses bras. Il avançait de plus en plus vite. Pourtant, il n'atteignait pas le coin. À sa gauche, il voyait toujours la cour du même angle, comme s'il faisait du surplace, alors qu'à sa droite, il passait devant de nouvelles portes. Chacune portait un numéro différent : 12, 13, 14.

Marc-Antoine entendit un bruit ténu derrière lui, mais tout de même inquiétant, bientôt suivi de plusieurs autres. Il se retourna et poussa un cri. Derrière lui, toutes les portes étaient ouvertes et des patients, en chemise de nuit bleue, l'observaient, le visage impassible.

Je dois me réveiller.
Me réveiller.
Je dois…

Marc-Antoine se réveilla en sursaut, le corps couvert de sueur.

— Ça va ? lui demanda Anne penchée sur lui.

Le jeune homme esquissa un sourire maladroit qui mourut lorsque la dernière image de son rêve vint le frapper à nouveau. Il avait l'impression d'être piégé.

— Un mauvais rêve, bredouilla-t-il.

Anne se déplaça pour se retrouver par-dessus lui. Elle lui embrassa le bout du nez. Pendant un instant, ses cheveux noirs et bouclés entourèrent le visage de son amoureux.

— Ça fait plusieurs nuits que tu fais des cauchemars. Je commence à m'inquiéter. Tu devrais consulter un médecin.

Le jeune homme frissonna à l'idée de se retrouver face à face avec un médecin. Afin d'éviter cette conversation, il bafouilla un « oui » sans conviction. Anne ouvrit la bouche pour insister, mais Marc-Antoine ne lui en laissa pas le temps. Il la prit par les hanches et la fit rouler sur le lit pour se retrouver sur le dessus. Il lui embrassa la nuque en un long baiser mouillé qu'il fit suivre avec sa langue jusqu'à la bouche d'Anne.

— Qu'est-ce que tu fais ? Je travaille demain.

Ses mots démentaient son attitude. Déjà, sa bouche cherchait celle de son amant. Alors qu'ils s'embrassaient, ils enlevèrent les sous-vêtements qu'ils portaient pour dormir.

Sans un mot, il la pénétra. Il entreprit son mouvement de va-et-vient avec une cadence rapide. Croissante. Elle serra les cuisses pour le ralentir. Sans succès. Il allait de plus en plus vite. Chaque coup de reins effaçait un peu des images du rêve. Il lui mordit un sein, caressa ses cheveux. Il la baisa plus fermement, plus profondément. Toujours plus vite.

— Ralentis.

Il n'entendait rien. Il sentait la jouissance qui montait. Qui montait. Il…

— Ralentis.

… eut son orgasme.

— C'était quoi ?!

Marc-Antoine regarda Anne, sans comprendre.

— Quoi ? demanda-t-il.

Elle s'assit sur le bord du lit, dos à lui.

Il s'approcha d'elle et posa la main sur son épaule. Elle la repoussa.

— Qu'est-ce qu'il y a ? demanda-t-il.

Elle se retourna vers lui, les yeux en larmes. Des larmes de colère.

— Tu me demandes ce qu'il y a, dit-elle en haussant le ton. Avec qui tu baisais ?

Marc-Antoine reçut cette question comme une gifle.

— Avec toi...

— Moi, répliqua-t-elle d'une voix qui s'approchait du cri. Je suis désolée, mais non. On aurait dit que tu me violais.

— Ben là ! N'exagère pas !

— Peut-être, dit-elle d'une voix soudain toute petite. Mais on aurait dit que je n'étais pas là. Tu ne m'entendais pas. Tu ne te préoccupais pas de moi.

Marc-Antoine bredouilla quelques maigres excuses. Pas très convaincantes, même pour lui. En fait, comment être convaincant quand on n'était pas convaincu ? Mais il ne pouvait pas parler à Anne.

Pas encore.

Puis, il sortit de la chambre. Il prit un verre d'eau dans la cuisine et descendit aussitôt dans la cave.

Il avait du travail à y faire et, même s'il n'osait pas l'admettre, cette dispute n'était pas pour lui déplaire. Au contraire.

Les yeux mi-clos, Marc-Antoine somnolait. Autour de lui, il entendait des voix. Des bruits de pas qui s'approchaient. Il tourna la tête et vit un visage déformé. Il mit un moment à le reconnaître : Tom, le Fumeur. L'homme avait des plaques rouges sur le visage et le crâne presque chauve à l'exception d'une poignée de cheveux. Pourtant, son identité ne faisait aucun doute. Il observait Marc-Antoine avec un regard halluciné.

— Je me transforme, dit-il. Je me transforme.

Marc-Antoine voulut lui demander plus d'explications, mais seuls des sons inaudibles sortirent de sa bouche pâteuse.

Marc-Antoine se rendit compte qu'il était assis dans un fauteuil roulant, les chevilles attachées par des sangles. Il se sentait étourdi et il avait un léger mal de tête. En parcourant les lieux, il s'aperçut qu'il était dans une grande salle blanche. À part Tom et lui, il s'y trouvait une dizaine de personnes. Deux femmes jouaient aux cartes sur une table dans le fond. Certaines personnes marchaient en se marmonnant des propos incohérents. Une autre, prostrée contre le mur, avait le corps secoué de spasmes.

Autour de la salle, des portes. Toutes fermées.

Non, pas toutes. En diagonale avec lui, il en vit une qui était entrouverte. Le jeune homme inclina un peu la tête pour voir ce qui s'y passait. La pièce était plongée dans l'obscurité. Toutefois, il réussit à voir une femme couchée à même le sol. Une masse sombre approchait d'elle. Elle cria. Marc-Antoine mit un moment à se rendre compte que l'ombre qui rampait vers la femme était une nuée d'insectes. Il inclina davantage la tête, malgré l'horreur qui le submergeait. La porte se referma brusquement sans qu'aucune main ne l'ait touchée.

Les cris de la femme furent atténués par la porte close ; pourtant, Marc-Antoine les entendit clairement. Les autres personnes qui hantaient la salle furent également affectées. Le type écrasé contre le mur commença à s'y taper la tête en criant de rage. À chaque coup, de petits morceaux de plâtre tombaient sur lui. Les marcheurs s'éloignèrent de la porte. Les deux femmes cessèrent leur jeu de cartes et s'observèrent sans bouger. Le silence était rempli des cris lointains de la femme.

Tom se laissa alors tomber à genoux en criant :

— Ça y est !

Il faisait face à Marc-Antoine, mais ne semblait pas le voir. Ses yeux fixaient le ciel. Il enleva sa chemise et ses pantalons souillés, et commença à se gratter le torse. Des lambeaux de peau s'arrachèrent, comme la vieille peau qui tombe pour laisser place à la nouvelle après un coup de soleil.

Seulement, l'homme ne s'arrêta pas là. Il entra profondément ses doigts dans sa chair. Du sang coula sur ses pectoraux. Il criait, entre douleur et jouissance. Alors, il commença à s'arracher la peau, comme on enlèverait un vêtement. Marc-Antoine voulut fermer les yeux, sans y parvenir. Le spectacle le fascinait. Sous la chair maculée de sang, il vit très clairement du poil. Une fourrure fournie, grise.

Pendant un court instant, Tom se retrouva complètement nu, les muscles, les tendons, les os, les organes à l'air libre. Puis, il tourna la peau à l'envers et l'endossa comme un vêtement.

Lorsque la transformation fut complète, il était devenu une chose mi-homme, mi-bête. Un loup à forme humaine ou l'inverse. Il approcha de Marc-Antoine sur deux pattes chancelantes. Il ouvrit la gueule et poussa un grognement que Marc-Antoine mit un moment à comprendre : « À ton tour de te transformer ».

La bête retomba sur ses quatre pattes et disparut par une porte qui venait de s'ouvrir pour se refermer aussitôt.

Tout cela n'est qu'un rêve.
Je dois me réveiller.
Un rêve.

— Encore en train de dormir, toi ?

Marc-Antoine releva la tête rapidement, ce qui lui donna mal au cou. Il avait dormi dans le fauteuil trop petit pour lui et il avait le corps courbaturé. Un début de torticolis commençait à le faire souffrir. Anne se tenait devant lui, les mains sur les hanches.

— Quoi ? demanda-t-il la voix ensommeillée.

— Tu n'as encore rien fait pour t'excuser. C'est comme si je n'existais plus pour toi. Tu passes ton temps dans la cave à faire Dieu sait quoi.

Tu n'existes pas non plus. Pas ici. Ici, c'est mon rêve.

Marc-Antoine soupira et se leva, sans regarder Anne.

— C'est ça, sauve-toi. Continue à m'ignorer, innocent. Si tu l'aimes tant que ça, ta cave, tu peux y dormir parce que tu ne reviendras pas dans le lit de sitôt. Oh non !

Elle sortit de la maison, alors que Marc-Antoine allait à la cuisine. Il but à même le litre de lait, alla pisser et redescendit travailler dans le sous-sol.

— Donc, si je comprends bien, je suis un démon qui se nourrit de vos rêves. C'est cela ?

Marc-Antoine sentit l'odeur de café dans l'haleine de Gustave, qui était penché sur lui. Le vieil homme portait son habit de médecin et tenait un carnet dans une main et un crayon dans l'autre. Devant le silence de son patient, il hocha la tête et poursuivit :

— Rien ici n'est réel selon vous. C'est cela ?

Marc-Antoine était couché sur un lit bas. Aucune sangle ne le retenait, pourtant il ne pouvait bouger.

Drogué. C'est cela, il m'a drogué.

— Bon, je vois que vous ne voulez toujours pas me parler, continua le vieil homme en donnant de petits coups de crayon sur son carnet. On va devoir recommencer le traitement. Vous savez ce que vous faites en ce moment ? Une fuite ! Vous fuyez la réalité. À la mort de votre père, vous avez voulu fuir vos problèmes et vous vous êtes perdu. Je vais vous aider à revenir. Attendez.

Il sortit du champ de vision de Marc-Antoine. Lorsqu'il revint, il tirait sa machine à électrochocs. Son sourire découvrait une rangée de dents acérées.

Ouvre les yeux.
Allez, ouvre.
OUVRE !!!

La créature qui se faisait appeler Gustave ressentait une puissante frustration. Elle était en train de perdre Marc-Antoine. L'humain résistait, comme personne ne l'avait jamais fait. Chaque fois que Gustave l'amenait dans un cauchemar, il réussissait à se réveiller pour se retrouver dans ce rêve qu'il avait créé. Rêve où il habitait avec Anne et où il travaillait dans son sous-sol. Pour y faire quoi ? Gustave l'ignorait, mais il comptait bien le découvrir. S'il réussissait à pervertir ce rêve, le jardin secret de Marc-Antoine, alors, il pourrait se nourrir de lui, comme des autres.

Marc-Antoine sentit les yeux d'Anne dans son dos alors qu'il descendait au sous-sol. Il ne s'en préoccupait pas. Ce n'était pas Anne. Il referma la porte derrière lui et descendit les marches. Il n'attendit pas bien longtemps avant que la porte ne s'ouvre.

Il se retourna, un peu nerveux, incertain de ce qu'il allait voir. Anne. Du moins, ça avait son apparence. Mais il savait que ce ne pouvait être elle. Ce n'était ni la vraie, ni l'image d'elle qu'il projetait dans ce rêve. C'était LUI.

Elle descendit les marches. Rien dans sa démarche ne LE trahissait. Pourtant, Marc-Antoine sentait qu'IL était là.

— Tu vas me dire ce que tu fais ici, demanda-t-elle en arrivant en bas.

Marc-Antoine mit les mains sur ses hanches et toisa la nouvelle venue.

— La curiosité est un vilain défaut, dit-il.

Anne regarda autour d'elle. La cave était poussiéreuse ; aucune trace de travaux n'était visible.

— Que se passe-t-il ? demanda-t-elle.

— Tu es chez moi ici. Tu es dans mon rêve. JE contrôle tout.

Les marches disparurent. Anne regarda à droite et à gauche.

— Mon amour, qu'est-ce qui se passe ? demanda-t-elle en s'approchant, charmeuse.

Marc-Antoine recula d'un pas.

— Démon, montre-moi ton vrai visage, dit-il.

Anne cessa tout mouvement. Elle lui lança un regard éperdu, douloureux.

— De quoi parles-tu ? Je crois qu'il faudrait te ramener à l'hôpital. Ça ne va pas du tout.

Pendant une fraction de seconde, Marc-Antoine douta de lui. La créature dut le sentir, car elle lui sourit. Tout dans ses traits relevait d'Anne.

Mais ce n'est pas elle.

Une ride se dessina sur le front de Marc-Antoine pendant qu'il faisait un effort de concentration. Aussitôt, les murs commencèrent à se refermer sur eux. Son corps tremblait comme sous un effort immense. La créature criait, prise d'une peur folle, comme un animal piégé. La paroi passa à travers le corps de Marc-Antoine, comme s'il était immatériel. Par contre, Gustave fut enfermé entre les quatre murs, qui formèrent un cube avec le plafond et le plancher. Le démon hurla et chercha à frapper les murs, mais, sous ses poings, ils étaient aussi solides que du béton. Et le cube rétrécit, rétrécit, jusqu'à devenir plus petit qu'un dé.

Alors, Marc-Antoine, qui tremblait toujours à cause de l'immense effort mental qu'il venait de déployer, le ramassa.

— *Tu es encore endormi ?*

Marc-Antoine se secoue. Il sent le léger tangage de la chaloupe. Non sans appréhension, il se retourne vers la voix de son père. L'homme lui sourit. Ses yeux gris brillent dans le soleil du matin. Il passe une main dans sa barbe de deux jours, puis la passe dans les cheveux de son fils.

— *Les cauchemars sont terminés. Tu as bien fait.*

Marc-Antoine lui sourit. Dans sa main, il tient toujours la petite boîte. Il l'accroche après son hameçon et lance sa ligne à l'eau.

— *Il y a tellement de choses que je voudrais te dire, dit-il.*

— *Je sais.*

Épilogue

Pour la première fois depuis son emménagement, Marc-Antoine se réveilla avec le sourire aux lèvres. La lumière du jour lui piquait les yeux. Il était sur le sol. En soulevant le bras, il pouvait toucher le téléphone. Poussé par l'instinct plus que par une idée consciente, il se rendit dans la cour intérieure. Les autres habitants des immeubles voisins arrivèrent au même moment. Ils se croisèrent, se reconnurent. Marc-Antoine sut qu'aucun d'eux n'était Elizabeth, Manon, Claude Martial ou Antoine Lemay. En fait, ces personnages venaient de leurs personnalités à tous, de leurs rêves communs, partagés par osmose.

Ils se regardèrent avec méfiance, se reconnaissant sans s'être jamais parlé pour la plupart. Le malaise commun était palpable. Bien vite, les premiers se retirèrent dans leur logement. Il ne resta bientôt plus que Tom et Marc-Antoine, qui se faisaient face. Ils se saluèrent d'un mouvement de la tête et disparurent à leur tour.

Le corps de Gustave fut retrouvé dans son logement dans un état de décomposition avancée.

Dans le mois qui suivit, tous les locataires déménagèrent. Seul Tom resta sur place, à boire son café et à fumer cigarette sur cigarette. Toujours assis à la même place, dans la crainte du retour du démon.

Table des matières

Repères bibliographiques

— *Le Voyageur* : première publication dans la revue *Bilboquet*, vol. 2, n° 3, 2005.

— *Cœur perdu à Québec* : première publication dans la revue *Brins d'éternité*, hors série 1, 2005.

— *Chambre 308* : nouvelle parue dans la revue *L'Écrit primal* 22 et dans le journal *Le Fil des événements* du 14 avril 2000, 1er prix du concours de nouvelles du Cercle d'écriture de l'Université Laval en 2000.

— *Berlin rêvé* : première publication dans la revue *Solaris* 141, 2002, finaliste du concours de nouvelles New Fiction Award 2000.

— *L'Art secret de la filature* : nouvelle parue dans la revue *Bilboquet*, vol. 2, no 1, 2005.

— *Toutes ces voix en lui* : première publication dans la revue *Nocturne* 1, 2005.

— *Le Rêve est une éternité perdue* : première publication sous le titre *Voyage et rêve* dans la revue *Solaris* 153, 2004.

— *Maman* : première publication dans la revue *L'Écrit primal* nos 29/30, 2004.

— *Le Masque de Méduse* : nouvelle parue dans la revue *Stop* Web 9 en 1999 et dans la revue Les Vagabonds du rêve 1 en 2000, 3e prix du concours de nouvelles de la revue *Stop* en 1999.

Note sur l'auteur

Pierre-Luc Lafrance a passé ses 25 premières années dans la région de Québec avant d'emménager à Saint-Elzéar, dans la Beauce.

L'auteur a obtenu un certificat en création littéraire, un diplôme en enseignement collégial et une maîtrise en création littéraire, à l'Université Laval. Il travaille actuellement dans le domaine du journalisme ; il est copropriétaire et rédacteur en chef du *Journal de Beauce-Nord*.

L'Arracheur de rêves est son premier livre pour adultes. Il a publié cinq romans pour la jeunesse et une trentaine de nouvelles pour adolescents et pour adultes.

Dans la même collection

Camille Bouchard :
— *Les Enfants de chienne* (roman d'espionnage)
Finaliste au prix du roman policier Saint-Pacôme 2004
— *Les Démons de Bangkok* (roman d'enquête)

Laurent Chabin :
— *L'homme à la hache* (roman policier)

Michel Châteauneuf :
— *La Balade des tordus* (roman noir)

France Ducasse :
— *Les Enfants de la Tragédie* (roman portant sur la mythologie)

Frédérick Durand :
— *Dernier train pour Noireterre* (roman fantastique)
— *Au rendez-vous des courtisans glacés* (roman fantastique)
— *L'Ile des cigognes fanées* (roman fantastique)
— *La Nuit soupire quand elle s'arrête* (roman fantastique)

Émil :
— *Le Démon borgne* (roman fantastique et historique sur le Tibet)

Pierre-Luc Lafrance :
— *L'Arracheur de rêves* (roman fantastique)

Louise Lévesque :
— *Virgo intacta, tome I: Arianne* (roman policier)
— *Virgo intacta, tome II: Estéban* (roman policier)

Marc Maillé :
— *De la couleur du sang* (roman policier)
— *À corps troublants* (roman policier)

Paul (Ferron) Marchand :
— *Françoise Capelle ne sera pas recluse* (récit historique)

Luc Martin :
— *Les Habits de glace* (roman d'enquête)
Récipiendaire du prix de littérature Gérald-Godin 2008 (Mauricie)

Michel Vallée :
— *L'homme au visage peint* (roman d'enquête)
Finaliste au prix du roman policier Saint-Pacôme 2007, récipiendaire du Prix Découverte 2008 du Salon du livre du Saguenay

Achevé d'imprimer
sur les presses de Marquis imprimeur
en septembre 2008